Philippe Delerm

Autumn

Gallimard

Philippe Delerm est né le 27 novembre 1950 à Auvers-sur-Oise. Ses parents étaient instituteurs et il a passé son enfance dans des « maisons d'école » à Auvers, à Louveciennes, à Saint-Germain.

Après des études de lettres, il enseigne en Normandie où il vit depuis 1975. Il a reçu le prix Alain-Fournier 1990 pour *Autumn* (Folio n° 3166) le prix Grandgousier 1997 pour *La première gorgée de bière et autres plaisirs minuscules*, le prix des Libraires 1997 et le prix national des Bibliothécaires 1997 pour *Sundborn ou les jours de lumière* (Folio n° 3041).

Look in my face; my name is Might
have-been; I am also called No-more,
Too-late, Farewell...

DANTE GABRIEL ROSSETTI,
The House of Life

Is there any sensation more delicious than
that awakened by the odour of burning
leaves? To me, nothing brings back
sweeter memories of the days that are
gone; it is the incense offered by depar-
ting summer to the sky; and it brings one
a happy conviction that time puts a
peaceful seal on all that is gone.

JOHN EVERETT MILLAIS

Mon automne éternelle, ô ma saison
    mentale
Les mains des amantes d'antan
    jonchent ton sol
Une épouse me suit c'est mon ombre
    fatale
Les colombes ce soir prennent leur
    dernier vol

GUILLAUME APOLLINAIRE,
Alcools

L'automne est descendu sur le parc de Cheyne Walk. Les arbres ne sont plus des arbres. Infinis dégradés de tous les ors, de tous les roux, de tous les flamboiements secrets gagnés par l'ombre et le poids du passé. Comme la toile peinte d'un décor de théâtre, ils se confondent avec la fin du jour. Octobre, le mot est doux à boire et triste comme un vin de mort, si riche encore du parfum de la vie. Feuilles d'ambre de Cheyne Walk, rousseur de chevelure immense déployée sur le pavois du souvenir. Femme le parc, femmes les feuilles de papier, femme la terre et l'odeur douce-amère après la pluie, femme la mémoire. Dans la demi-pénombre, un paon au bleu soyeux de Moyen Age s'éloigne au long de l'allée silencieuse.

D'une main fébrile, Dante Gabriel Rossetti abaissa la fenêtre du bow-window, et se tournant vers le sofa noyé dans l'ombre, aux fleurs de lys flottant sur un étang de soie fuchsia :

— Eh bien, monsieur mon wombat ! Votre

silence ne m'apporte guère de consolation en ces heures mélancoliques.

Il passa distraitement la main sur l'étrange animal, boule de fourrure d'où émergeaient un regard vague, des pieds curieusement humains. Mais le petit marsupial, affectionnant ce recoin du meuble où la soie déchirée s'entrouvrait sur une paille délicieusement rêche, demeura terré contre l'accoudoir. A contre-jour, le soir naissant soulignait d'innombrables toiles d'araignée éparses dans la pièce, dentelant les caissons marquetés des hauts plafonds, gonflant les murs de voiles impalpablement bleus. Une infecte odeur d'urine et de renfermé flottait. Mais depuis longtemps Rossetti semblait ignorer ce naufrage où le manoir s'enfonçait chaque jour. Il s'avança vers le vestibule, s'arrêtant longuement au pied de l'escalier, le regard inquiet tourné vers les étages. Là-haut était la pièce demeurée sacrée, le saint des saints de ce Cheyne Walk penché vers les enfers : la chambre d'Elizabeth, sa femme morte depuis sept années. La chambre d'Elizabeth, ou plutôt son sanctuaire, car elle n'avait jamais vécu dans la demeure. Mais là-haut, au second étage, Dante Gabriel avait tout gardé de son passage sur la terre, tous les tableaux qu'elle avait peints, les innombrables portraits qu'il avait faits d'elle, et le plus étrange d'entre eux : cette *Beata Beatrix* ébauchée bien avant la mort de Lizzie, et terminée longtemps après. Chaque jour, il passait de longues heures devant ce portrait du remords plus vivant que la vie, fasciné par son propre pouvoir, sa déchéance, et par le poids du souvenir. Pour un soir, pour ce soir, il eût voulu effacer cette image...

Mais une force insurmontable le poussa dans l'escalier. Comme un somnambule, il gravit les marches, avec une lenteur hiératique. Sa silhouette un peu enveloppée retrouvait dans des instants solennels comme celui-ci une incontestable élégance. Avec ses cheveux négligés, sa barbe longue, son regard perdu, il gardait au seuil de la quarantaine quelque chose de l'adolescence. D'un geste respectueux, il ouvrit la porte du temple. La pièce faiblement éclairée par une fenêtre étroite avait son silence particulier, plus oppressant, plus inquiétant que tous les autres silences de Cheyne Walk. La fin du jour allongeait sur le parquet un unique pinceau de lumière, comme un reflet magique de vitrail, jusqu'à ce chevalet dressé au centre de la pièce. Beata Beatrix. Elizabeth était là pour toujours, les yeux à jamais clos, sous l'emprise d'un bonheur ou d'une douleur ineffables. Une aura dorée de lumière finissante nimbait sa chevelure rousse déployée. Le visage penché en arrière, les lèvres entrouvertes mais si pâles, elle semblait s'offrir à la mort, au rêve d'une éternité enfin paisible. Un oiseau glissait dans ses mains la corolle d'une fleur blanche. Près d'elle, comme un soleil de l'ombre, le cadran solaire marquait la dernière heure qui l'avait bénie, et non blessée. A l'arrière-plan du tableau, Rossetti avait représenté son frère d'âme à travers les siècles : Dante Alighieri détournait les yeux, frileusement enfoui dans un manteau jeté sur le froid de son corps. Oui, Béatrice éternelle était bien née de cette âme en souffrance. Mais le poète florentin s'effaçait derrière elle, semblait se diluer en elle, et le regard baissé de Béatrice disait à lui seul toute la vérité avidement cherchée parmi les cercles de l'enfer et les chemins du paradis. Le temps avait coulé, mais Gabriel Rossetti se retrouvait lui-même dans l'incertaine silhouette du grand Dante, au fond de son propre tableau, estompé à son tour par l'éclatante perfection d'Elizabeth Siddal, sa Béatrice.

Ce tableau que seuls connaissaient quelques amis, Swinburne, Ruskin, William Morris, ce tableau qui lui avait coûté tant de remords et dont il ne se sentait pas maître, ce tableau-là était trop fort pour le grand soir. Incapable de soutenir l'éclat intérieur de ce regard baissé, Rossetti se détourna, balbutiant quelques mots indistincts, puis il dévala l'escalier, renversant un frêle guéridon d'aspect gothique : un vase japonais en camaïeu bleu pâle vola en mille éclats, mais il n'y prit pas garde. De même, il ignora tous les portraits de femme tapissant les étouffants panneaux de bois. Le parc, enfin le parc !

Comme un noyé reprenant souffle sur la berge,

il aspira délicieusement l'air froid tout écharpé de brume qui montait de la Tamise. C'était la vie qui reprenait après ce voyage au-delà, la vie dans ces allées envahies d'herbes longues. Le soir venait comme à regret. Automne. Automne déployé contre le ciel, en branches entrelacées. Automne sur le sol jonché de feuilles, et cette odeur des pommes sous la pluie. Feuilles rouge écarlate sur les murs de Cheyne Walk baignés de vigne vierge. Branches de feuilles gagnant les fenêtres, s'élançant sur le toit. Feuilles tombées, mêlées sur la terre encore chaude aux mains ouvertes mordorées des feuilles de platane, au cuivre finement lancéolé des érables, des châtaigniers, au jaune vif si doucement ourlé des feuilles de chêne les plus minuscules. Tout etait feuille, et tout était l'automne : la mort du parc si bonne à fouler doucement, l'approche de la mort en beauté finissante. Il marchait comme enivré, les pieds dans la mélancolie bruissante, le regard fatigué noyé par la lumière chaude, rassurante, désespérée. Comme il était bon pour ce soir de se plonger dans le feuillage à chaque instant plus sombre, de boire en vin d'automne la danse d'or du désespoir.

Peu à peu, Rossetti s'oubliait, se perdait en marchant dans ce décor à ses couleurs, et le parc s'effaçait comme un autre lui-même. Le vertige du laudanum se mêlait dans sa tête à la brume du soir. Alors, d'autres brouillards se levèrent en lui.

Il vit soudain *ce qu'il savait*, cette hallucinante scène si souvent imaginée et qui se déroulait non loin de là, à l'instant même. Il aurait dû être là-bas ce soir, mais il ne pouvait pas. Il s'affala sur un banc de pierre et, les mains dans les yeux, s'abandonna au rêve-cauchemar qu'il avait suscité.

C'est pour lui que ce soir à cette heure deux hommes silencieux et froids marchent dans la nuit bleue de brume, les lucioles cotonneuses des fenêtres lointaines allumées, diluées par le crachin. L'un d'eux a une bêche sur l'épaule. Il s'arrête, et d'un signe de la main indique à son compagnon le portail du cimetière de Highgate. La porte lourde grince sur ses gonds. Quel étrange silence dans ce jardin de mort. Une herbe souple et sombre ondule doucement autour des croix ; tout est plongé dans un gris infini : la pierre du muret qui ceinture le cimetière, le ciel comme un manteau humide accolé à la terre. Malgré eux, les deux hommes ont ralenti le pas. La paix du lieu semble si menaçante, et si curieuse leur mission — la veille encore, ils la trouvaient si naturelle.

Mais maintenant ils sont ici, gagnés par un malaise inattendu qui pèse lentement sur leurs épaules. Ils savent où ils vont. Evitant de se regarder, ils avancent entre les tombes. Ils voudraient dissiper cette paralysie morbide qui les prend, effacer cette fumée grise de peur. Mais que va penser l'autre ? Et puis leur gorge s'est serrée, les mots ne viennent pas.

C'est là. Prostrés, comme assommés par leur audace, ils demeurent immobiles devant un petit carré d'herbe sage qui les ensorcelle. Pourquoi sont-ils ici ? Les lumières de la ville brillent au loin, si chaudes. Secouant son angoisse, l'homme à la bêche lance enfin, d'un ton trop agressif, mais sa voix tremble :

— Je veux bien être celui qui creuse, docteur Williams. Mais j'ai besoin de vous pour amasser des feuillages et du bois.

— J'allais vous le proposer, Howell, repartit l'autre, soulagé. Les risques d'infection sont grands, dans ce genre d'aventures. Allumer un feu me semble la plus élémentaire précaution. Pour le reste, vous ne m'en voudrez pas de ne pousser mon aide plus avant. Je suis là en témoin plus qu'en acteur. Et puis... C'est vous qui avez incité notre ami Rossetti à cette opération. Je suppose que c'est à vous de prendre la responsabilité de l'acte.

Howell se contente de hausser les épaules. Ils n'ont après tout rien à se reprocher. Retrouvant un peu d'assurance en secouant leur corps engourdi, les deux hommes amassent des brassées de branches mortes. Reculant l'instant fatidique, ils n'en finissent pas d'y ajouter des poignées de feuilles éparses sous les marronniers du cimetière. Le dôme amoncelé près de la croix de bois s'accroît, autel de fortune peureusement rassemblé pour incanter les voix de l'ombre, et effacer les maléfices. Howell a fait craquer une allumette ; une odeur de fumée amère monte, encens païen qui marie la mort à l'automne. Voilà ; les feuilles les plus sèches s'embrasent d'un seul coup, et la nuit est plus bleue, autour de la lueur orange et fauve.

— Bon Dieu, on va se faire repérer, Howell !

— Rassurez-vous, Williams. Personne ne passe ici à cette heure. Et puis, tout est en règle.

Et tapotant sa poitrine de la main :

— J'ai sur moi l'autorisation du très honorable Henry Austin Bruce, secrétaire de sa Majesté au ministère de l'Intérieur.

Dans le crépitement du feu, Howell saisit sa bêche et creuse. Williams affecte de se détourner, machinalement offre les mains aux flammes rassurantes, seule source de vie dans la macabre pesanteur du décor. Le temps leur dure, et la tâche semble infinie. Que vont-ils découvrir. Soudain, Williams tressaille. A ses pieds, une voix l'interpelle :

— Nous y sommes, Williams. Vous n'êtes pas trop épuisé ? Aidez-moi à hisser le cercueil.

Maladroitement, l'un tirant, l'autre poussant, ils hissent le cercueil à la surface. Howell ahane et reprend souffle longuement. Williams est hébété. Et maintenant ?

— A vous l'honneur, Williams. La pratique de la médecine vous prédispose plus que moi à affronter ce genre de réalité !

Les mains du docteur Williams tremblent. Il ne s'agit pas de n'importe quel corps, mais de cette éternelle incarnation de la beauté terrestre : Elizabeth Siddal, l'Ophélie de Millais, la Béatrice de Dante Gabriel Rossetti ; Elizabeth Siddal enfin, l'image où tant de peintres, de poètes ont projeté leurs rêves les plus fous, les plus mélancoliques. Agenouillé devant le cercueil de bois clair, Williams frissonne. Elizabeth est morte il y a sept ans ! Quelle vision d'une réalité putride va-t-il falloir substituer à cette perfection de l'art qui l'obsède soudain ? Il voit défiler dans sa tête des centaines de portraits ; le visage d'Elizabeth l'y poignarde à chaque fois d'un éclair impérieux. C'est en fermant les yeux qu'il soulève le couvercle. Howell regarde obstinément le feu. Avec une infinie lenteur, Williams lève les paupières ; sa bouche a pris à l'avance un masque de dégoût, et presque de souffrance.

Ce qu'il discerne alors le stupéfie. La chevelure immense déployée sur le capitonnage de soie bleue a tout gardé de sa rousseur, de son ampleur, de sa souplesse. Plus incroyable encore, le visage lui-même est un masque de cire, aux arêtes finement dessinées ; sous la robe de velours vert pâle, le corps entier d'Elizabeth semble embaumé, léger, pour toujours hors du temps, suspendu dans l'espace. Tétanisés, Howell et Williams ne peuvent détourner les yeux de ce miracle. Le docteur finit par murmurer :

— Seigneur ! J'ai déjà entendu parler d'embaumement naturel, mais jusqu'à aujourd'hui j'ai toujours cru que c'étaient des histoires de charlatans !

Dans le cercueil éclairé par la lueur dansante du brasier de feuilles, tout est intact, ou presque : la bible noire déposée au côté de Lizzie, et de l'autre côté le petit livre vert, objet de cette aventure insensée. Williams tire de sa poche une pièce d'étoffe, y dépose le recueil tant convoité. Sur la couverture de toile, on déchiffre distinctement l'écriture mauve manuscrite :

Dante Gabriel Rossetti
The House of Life
Poems

Comme pour se faire pardonner, les deux hommes remettent tout en place avec d'ostentatoires précautions. Le cercueil refermé, Howell l'enfouit sous terre sans se hâter, avec le sentiment d'abandonner Lizzie pour la seconde fois. Sur la croix, les lettres et les chiffres semblent factices, dérisoires.

Elizabeth Siddal
1834-1862

Puis, sans se retourner, les profanateurs plongent dans la nuit devenue noire, et rentrent vers Cheyne Walk. Williams tient devant lui comme un triste trésor le livre vert.

Là-bas, au fond du parc, Rossetti s'est levé, et marche dans les feuilles vers la grille de son domaine solitaire. Le vent souffle violemment, pour quel tourment, ou quelle délivrance ?

Dans le cimetière désert de Highgate, les feuilles de l'automne n'en finissent pas de brûler, comme une étrange chevelure.

John Ruskin
à Dante Gabriel Rossetti

Nous sommes dans votre couleur, c'est vrai. L'expression est de vous, comme notre vie même, et notre paysage d'âme semble s'être touche à touche élaboré sous le poids de votre pinceau. Ce n'est pas sans amertume que je vous fais aujourd'hui cet aveu, qui ne manquera pas de rassasier votre insatiable orgueil. Sans doute serez-vous surpris, en lisant ces lignes, de ne pas y trouver la condamnation que vous escomptiez et redoutiez de moi. Je ne vous traiterai pas de profanateur de tombe, je ne serai pas pour vous la voix de la conscience de Lizzie. Vous êtes sans nul doute au-delà de toute morale ; ne vous en réjouissez pas trop — c'est là le privilège empoisonné d'une haute solitude, et je crois m'y connaître.

Simplement, si cela peut encore vous faire quelque chose, je vous dirai que Lizzie ne vous eût rien reproché. Elle s'est fondue en vous, par la souffrance et par l'amour, sans rien posséder que cette vague éternité qui flotte aux lèvres de la Beata Beatrix, aujourd'hui et pour toujours. Il faut un monstre de votre envergure pour peindre un tel tableau. Sa beauté irréelle m'a de nouveau coupé le souffle, lors de ma dernière visite à Cheyne Walk. Vous avez commencé ce portrait bien avant la mort d'Elizabeth, et vous l'avez terminé longtemps après. Mais dès la première esquisse, vous saviez que votre façon de l'aimer emmenait peu à peu Lizzie jusqu'à sa tombe, et au-delà…

Pour moi… J'aimais Elizabeth, c'est vrai, ou bien j'aimais à travers elle ce don ensorcelé que vous avez de nous tenir dans la couleur… Comment dire… Dans cet automne où nous nous sommes retrouvés. Etrange pouvoir que vous ne méritez peut-être pas, mais peu importe. Nous sommes dans votre couleur, dans chaque feuille d'ambre de vos toiles, dans tous les reflets roux des longues chevelures, dans l'ailleurs des regards. Automne… Le soir tombe depuis si longtemps déjà, et nos vies sont étranges. Où sont passés les enfants, les enfances ? Plus rien de terrestre ne prolongera ce que nous avons aimé, souffert ou regretté. Rien que la vie impalpable de l'art. Votre art a droit à l'immortalité. Mais la gagnera-t-il ? Vous savez la part que j'ai tenue dans la reconnaissance par le monde de votre œuvre. Mon enthousiasme était sincère, il l'est toujours. J'aimerais pouvoir aujourd'hui être sûr que tout ce que Lizzie et moi n'avons pas trouvé dans la *vie demeurera à jamais sublimé dans l'œuvre de Dante Gabriel Rossetti…*

Je n'y crois guère, cependant. Il se passe de grandes choses, en ce moment. Ces impressionnistes, qui ne vous ont que trop peu marqué lors de votre voyage à Paris, préparent l'avènement de la lumière. C'est la lumière qui l'emportera. Pas la lumière exsangue, cré-puscolaire, de nos vies avortées, mais la lumière triomphante de l'été, du soleil, de l'eau, des feuillages. De l'Angleterre, ils garderont Turner, dont l'audace leur aura fait gagner du temps. Mais Rossetti… Votre vie et votre œuvre paraîtront trop affectées aux yeux du prochain siècle : trop morbides, trop languides, trop automnales enfin… A moins que, bien plus tard, la fin d'un autre siècle ne réveille avec le goût de cendre d'une amère volupté votre couleur, de l'autre côté du soleil. Qui sait ? Les hommes auront toujours besoin d'automne, et du plaisir mélancolique de finir…

Pour vos poèmes, j'ai toujours cru qu'ils seraient vite démodés. Tant mieux si vos amis les vantent dans tous les journaux de Londres aujourd'hui. Demain, vos ennemis n'en diront que du mal ; après-demain, personne n'en parlera plus. Leur théâtrale et bien peu délicate récupération m'inspire autant de pitié que de dégoût. Mais vos tableaux… C'est autre chose. Ils garderont notre couleur. D'autres regards y accroche-ront quelques rêves, y trouveront comme un alcool, sans rien savoir des fruits qui l'avaient parfumé. Je ne sais trop si je vous aime, ou bien si je vous hais. Mais je sais simplement que le meilleur de nous s'est englouti dans votre automne. Que vive la couleur.

Celui qui se plaint à bon droit d'être encore votre John Ruskin

DÉCEMBRE 1850

La neige tombait dans Cranbourne Street, étrangement légère et duveteuse. De longs flocons comme des feuilles ou des pétales à peine froids et presque bleus dans le début du soir — une caresse bleue de neige pour saluer l'or des échoppes, l'effervescence chaude des boutiques, la fièvre douce de cet avant-Noël qui rappelait à Walter Deverell d'autres Noëls, d'autres attentes, et le bonheur inquiet de son enfance. Comme autrefois, il avançait au côté de sa mère, sur les trottoirs de Londres, et on l'eût pris pour un très sage fils modèle, avec son sourire extatique. Comme Londres était bonne à flâner ! Les cris rauques des cochers, le martèlement métallique des fers à cheval, les appels et les sifflements, lancés de trottoir à trottoir par-dessus le fleuve de la rue, montaient, buée sonore assourdie par le ciel de neige. Dans l'encoignure des portes cochères, des gamins goguenards entraînés au chapardage commentaient entre eux sans complaisance l'aspect des bourgeois agglutinés sur les trottoirs, progressant lentement devant l'opulence des vitrines. Alcools et liqueurs fines, de l'ambre au rubis, au grenat, en carafes aux bouchons ouvragés, en bouteilles pansues ou d'une minceur aristocratique. Chocolatier : dans un délicat camaïeu de tous les bruns, barres amères de chocolat brut aux dragées douces et rondes café-crème, aux bâtonnets fourrés du vert de la pistache. Puis, de tous les roses délicats des galantines auréolées de gelée rousse, marquetées de truffes, on glissait aux joyaux d'angélique et de cerise ou de prune confite, sur les gâteaux de mœurs faciles contrastant avec l'austérité compacte et sombre des Christmas puddings. Partout les sucres, les épices, toutes les couleurs chaudes, chatoyantes, multipliées par les reflets, les miroirs, les éclats. Quelle ivresse tranquille de se laisser ainsi aller au rythme d'une déambulation oisive, pendant que les flocons légers vous caressaient nonchalamment le visage !

— Si nous avons le temps, je ferais bien un petit tour chez Harry's. Ils ont de nouveaux chapeaux, paraît-il. Cela ne t'ennuie pas, Walter ?

Et tout comme autrefois, Walter acquiesçait vaguement. Depuis toujours, il prenait un plaisir un peu pervers à faire semblant d'être là, dans l'apparence rassurante de la vie. En fait, il n'avait jamais habité le pays des chapeaux, et pas même celui des enfants qui s'ennuient pendant les courses familiales. Sous la perfection courtoise de son attitude se cachaient des rêves bien plus fous, que ses vingt ans tout neufs ne faisaient qu'exaspérer. Très mince dans sa redingote au col de velours noir relevé, il marchait nu-tête, et de longues mèches châtain dansaient devant son regard à la fois enflammé et absent, qui croisait sans les voir bien des regards furtifs de filles de bonne famille, et bien des regards appuyés de jeunes vendeuses, au hasard des haltes maternelles. Il ne cherchait pas à séduire et séduisait d'emblée, car il n'était pas d'une caste, d'un rang social, d'un projet bien tracé, et cela se sentait au moindre de ses gestes. Il était d'un pays qu'il n'avait pas encore créé, mais dont il se rapprochait chaque jour, depuis qu'avec son frère spirituel Dante Gabriel Rossetti il avait installé à l'insu de ses parents un atelier de peinture dans une grange abandonnée au fond de leur domaine. Gabriel Rossetti... Une lumière dans sa vie, l'incontestable génie de cette nouvelle peinture qui allait naître sous leurs mains, et renverser le monde...

Harry's. Modiste. Plongé dans ses pensées, Deverell n'avait pas vu sa mère se glisser dans le manège de la porte-tambour. Il s'y engouffra à son tour, flottant, émerveillé de ce court voyage initiatique qui le fit basculer en un instant du bleu froid de la neige dans le blond du magasin. Il était là un peu comme un intrus dans cette atmosphère féminine, raffinée : jeunes femmes de la meilleure société dans de longues robes safran ou grèges, inclinant leur visage devant les hauts miroirs cernés d'acajou, tandis que des vendeuses très dignes, imperturbables, les conseillaient, et que d'autres employées plus jeunes apportaient, déballaient, remportaient des théories de cartons cylindriques estampillés des lettres dorées *Harry's*, élégamment calligraphiées en arabesques délicates. Mrs. Deverell conversait, enjouée, avec la directrice du magasin. Walter la regarda de loin avec un sourire indulgent. La halte risquait d'être longue !

Cela ne l'ennuyait pas vraiment. Pour lui, le temps n'était jamais du temps perdu. Il adorait se fondre dans les atmosphères, comme pour les enfouir en lui, en garder quelque chose, une couleur, un reflet. Ce grand bateau caréné de bois chaud lui semblait délicieux, avec les bruissements soyeux sur le plancher parfaitement ciré, les phrases ébauchées, la lenteur des regards, quêtant dans les miroirs l'idée d'une autre image, l'infime et décisive transformation que donnerait à la silhouette le choix d'un chapeau différent.

— Toutes ces femmes sont comme moi, songea Deverell. Elles ne sont pas vraiment sûres d'exister. Elles s'attendent elles-mêmes au détour du miroir, comme j'espère me trouver au secret d'une toile. Un hasard, peut-être, une rencontre avec un autre soi-même, un peu plus loin. Rien de moins futile que tout cela.

Personne ne l'importunait. Il put glisser à sa guise le long des hauts comptoirs, s'imprégnant de chaque inflexion de voix, de chaque regard ombré de mystère par un long bord de capeline, une voilette relevée. Il se sentait très bien dans ce décor, car il n'avait rien à y faire.

Entendit-il vraiment des rires, ou bien une force inconnue l'obligea-t-elle à se retourner ? Tout au bout du magasin, une porte étroite aux petits carreaux vitrés ouvrait sur l'atelier, comme pour témoigner de la qualité transparente de la fabrication. Les ouvrières travaillaient là autour d'une immense table oblongue, sous une suspension de cuivre aux chandelles allumées, déjà. Deverell s'approcha. Il lui sembla soudain que les conversations autour de lui s'estompaient, qu'un vertige le prenait.

Elle était là, les yeux baissés, avec cette expression de douceur consentante, de quiétude intérieure. Elle. C'était Elle, l'évidence au bout d'un long chemin. Qu'avait-elle de plus que les autres ouvrières, que toutes les très belles essayeuses de chapeaux ? Pas la robe de velours vert olive finement rayée, plutôt modeste et sage, et pas l'éclat du teint, ni la perfection des traits. Mais... Ce port de tête si penché, ce long cou de gazelle incroyablement frêle, et la rousseur profonde des cheveux relevés en lourds bandeaux flamboyants.

31

Mais la pâleur des joues, le vert diaphane presque usé de son regard, quand elle levait les yeux de son ouvrage pour sourire aux plaisanteries de ses collègues de travail, d'un sourire infiniment grave.

Grave. Elle ne ressemblait pas à ce qu'elle devait être : une toute jeune ouvrière de chez Harry's, une jeune fille de dix-sept ou dix-huit ans, condamnée douze heures par jour à bâtir de ses mains des signes de noblesse, de beauté, pour des femmes riches infiniment moins nobles, infiniment moins belles. Belle ? Beaucoup plus que jolie, sans doute, mais elle était surtout... étrange. Walter se répétait ce mot, hypnotisé. Elle semblait descendue d'un Moyen Age florentin pour habiter son rêve, avec une mélancolie blessée, mais cette inattendue sensualité de sa bouche un peu lourde, finement ourlée, fruit d'automne à la douceur offerte de virginité mystique. Dans ses cheveux dormaient toutes les flammes, tous les secrets d'une Italie brûlée de passions séculaires, et dans la blancheur de sa peau tous les ailleurs du Nord.

— Viens-tu, Walter ? J'ai fini !

Il se détourna lentement, obéit comme un automate, sans un mot, et fit deux tours de la porte-tambour. Que dirait Dante Gabriel en *la* découvrant à son tour ? Car Deverell savait déjà que Rossetti devait la voir ; et une écharde douloureuse le traversait à l'idée de partager cette vision qui venait incarner leurs rêves. Dehors, la nuit était tombée. La lenteur de la neige lui sembla plus irréelle encore, aux lèvres sa saveur d'une douceur amère, comme un bonheur d'enfant mêlé de chagrin sourd.

10 JANVIER 1851

En quittant Baker Street pour se retrouver dans la très familière Charlotte Street, John Millais sourit malgré lui. En dépit du froid et de la fatigue de la marche, c'était un vrai plaisir de se retrouver sur le chemin de la maison où tant de projets avaient été discutés, dans la chaleur de l'imagination et des verres de punch. Au 50 Charlotte Street, la maison des Rossetti restait le creuset des rêves, la source même de cette confrérie des peintres préraphaélites que l'année tout entière avait effilochée. P.R.B. *. C'était là, dans le salon du second étage, que William Holman Hunt, Dante Gabriel Rossetti et lui-même, John Everett Millais, avaient scellé ce pacte secret. P.R.B. ; ils feraient désormais figurer ces trois initiales sur chacun de leurs tableaux, mais personne d'autre n'en connaîtrait le sens. Bien sûr, c'était un rire initiatique un peu naïf, comme un complot

* P.R.B. : Pre-Raphaelite Brotherhood.

d'adolescents répetant gravement un mot de passe en échangeant leur sang. Mais peu leur importait alors. L'exposition de la Royal Academy allait révéler au monde cette peinture enfin vraie, loin des raideurs guindées des successeurs de Raphaël, et plus loin encore des artistes officiels de l'ère victorienne, Frith, Charles Robert Leslie, Landseer.

Un an tout juste. Comment Rossetti avait-il pu trahir ? Sans doute était-il encore ivre, le jour où il avait avoué à ce sculpteur le sens secret des initiales. Mais comment ne pas lui tenir rigueur de cette tempête qu'il avait soulevée, juste avant l'exposition ? Des peintres de vingt ans attaquant Raphaël ! Quel incroyable orgueil, quelle abomination aux yeux des professeurs de la Royal Academy ! Et puis, pourquoi Dante Gabriel les avait-il lâchés, Hunt et lui-même, pour exposer dans Regent Street son *Ecce ancilla Domini*, quelques jours à peine avant l'événement tant attendu ? Il y avait un secret ; Rossetti l'avait bafoué, provoquant la colère de la critique. Il y avait un triptyque : Hunt devait présenter ses *Chrétiens échappant aux druides*, Rossetti *Ecce ancilla Domini*, et lui-même *Le Christ dans la maison de ses parents*. Rassemblés, ces trois tableaux eussent été un manifeste, qu'ils voulaient révolutionnaire, et non pas scandaleux. Trois sujets religieux, mais traités comme depuis le Trecento, le Quattrocento italiens on ne l'avait plus jamais fait : avec le naturel, la vérité des attitudes — avec en plus cette déroutante sensualité qu'on leur reprochait tant. Ainsi Hunt et lui-même avaient-ils essuyé seuls les foudres de la foule déchaînée par la critique pendant que Rossetti restait à l'écart de l'orage. Millais se souvenait encore des phrases employées par le romancier Dickens pour attaquer son propre tableau :

« Au premier plan se tient un enfant roux, hideux, contorsionné, pleurnichard et en chemise de nuit, qui semble avoir reçu un coup en jouant dans le ruisseau voisin et paraît le montrer à une femme à genoux, tellement horrible dans sa laideur (à supposer qu'il soit possible pour une créature humaine de survivre avec un cou aussi disloqué), qu'elle paraîtrait un monstre dans le pire cabaret de France ou dans le plus affreux bouge d'Angleterre. »

Mais après tout, l'art nouveau n'avait-il pas toujours provoqué l'indignation de tous les conformistes ? Déranger, c'était déjà exister, et rien n'eût été pire que l'indifférence. Quant à l'amitié... D'autres peintres avaient grossi le triumvirat des P.R.B. : Walter Deverell, Ford Madox Brown, qui avait tenté d'écarter les préraphaélites des sujets trop religieux, provoquant la colère de Hunt ; Collinson, attaché au contraire à tout ce que leur peinture avait de plus mystique, Collinson amoureux de Christina, la sœur de Rossetti — c'est cette dernière qui avait servi de modèle pour *Ecce ancilla Domini*. William Michael Rossetti, enfin, le frère cadet de Dante Gabriel, avait joué le rôle de secrétaire, de journaliste aussi, dans la revue *The Germ*, née dans l'enthousiasme, et qui semblait déjà menacée au bout de quelques numéros... Ce soir, on y verrait plus clair. Dante Gabriel avait voulu cette soirée, au seuil de l'an nouveau, comme si rien n'avait changé, comme si tout pouvait encore être éclairci. Millais se réjouissait déjà de retrouver l'animation du 50 Charlotte Street. Il monta quatre à quatre les marches du perron, et fit tinter la cloche.

La rumeur attendue des conversations sonores l'accueillit. La sœur aînée de Dante Gabriel, Francesca, avait gardé sa gentillesse un peu distante, sous ses bandeaux de cheveux noir corbeau :

— Millais ! Quel bonheur de vous revoir ! Mon père vous espérait tant !

Gabriele Rossetti, le vieux carbonaro italien, avait toujours aimé bavarder avec les amis de son fils, Dante Gabriel. Entre tous il affectionnait Millais, dont l'éducation et le talent l'avaient séduit. En dirigeant l'arrivant vers le cercle d'hommes sombres qui parlaient en italien, de Metternich ou de révolution, sans doute, Francesca ajouta plus bas :

— Il n'y voit presque plus, vous savez !

C'est en effet avec un regard inquiet, d'une

38

pâleur insoutenable, que le père de Rossetti leva les yeux vers le visiteur. Mais quand sa fille lui eut chuchoté quelques mots à l'oreille, son visage se détendit dans un large sourire :

— John Everett Millais ! s'exclama-t-il en lui secouant le bras cordialement. Je redoutais tant de ne plus vous revoir ici ! Et j'ai bien peur que Dante Gabriel ne soit le premier responsable des petits nuages qui s'étaient glissés entre vous.

— Le vent de la nouvelle année les emporte, monsieur Rossetti. Il reste l'amitié, et puis... je crois que nos rêves demeureront toujours parallèles, même s'ils ne se confondent plus.

— Loué soyez-vous pour cette bonne parole ! Mais, permettez-moi d'être tout à fait sincère, reprit le père un peu plus bas, entraînant Millais à l'écart pendant que Francesca glissait discrètement un verre de sherry dans sa main. On m'avait dit que vos parents n'étaient pas autrement ravis de vous voir fréquenter la maison d'exilés italiens...

John Millais rougit brusquement. Puis, relevant la tête avec une expression de franchise décidée :

— Eh bien... C'est vrai que mes parents se sont toujours opposés à mon amitié avec Dante Gabriel, et leurs critiques à cet égard ont redoublé depuis un an. Mais, pour ce qui me concerne, je ne pourrai jamais oublier tout ce que j'ai reçu ici, dit-il en englobant d'un geste l'atmosphère de la maison.

— Ne dites pas de sottises, reprit monsieur Rossetti père en tapotant l'épaule de son jeune ami. Votre présence à tous, créateurs, peintres, écrivains, est le seul rayon de soleil qui réchauffe encore notre fin de vie. Si si... Je sais ce que je dis. Mais Dante Gabriel vous attend, fit-il en désignant du doigt les étages. Les conspirations vont reprendre ! Des indiscrétions ont déjà filtré, cependant. Je sais que vous préparez pour le salon de cette année une remarquable *Mariana*.

Millais opina de la tête, s'inclina, puis il se dirigea vers l'escalier. Une jeune femme en longue robe noire, aux fins cheveux blond vénitien relevés en chignon descendait les marches. Ses yeux profondément cernés, sa maigreur, son teint blême donnaient à sa physionomie une lourde gravité, presque un air de reproche. C'est à peine si son visage s'éclaira quand elle aperçut Millais. Une sensation de gêne saisit d'emblée ce dernier. D'un ton artificiellement enjoué, il tenta de la dissiper :

— Christina ! Vous êtes plus belle encore dans cette robe que dans la bure de *Ecce ancilla Domini* !

Mais la plus jeune sœur de Dante Gabriel Rossetti lui répondit d'un ton amer et las :

— Bonjour, John ! C'est bien d'être venu, même si les P.R.B. ne sont plus. Mais ne vous

40

croyez pas obligé de dire n'importe quoi. Je ne suis pas belle, et ne souhaite pas l'être, en tout cas pas comme vous le suggérez.

Désarmé par cette froide sincérité, Millais détourna la conversation :

— Hunt, Deverell et Collinson seront-ils des nôtres ce soir ?

— Les nôtres ! reprit ironiquement Christina. Je ne sais plus trop ce qu'il faut entendre par ces mots. Hunt ne veut plus rencontrer Dante Gabriel. Walter Deverell doit venir, et Brown également. Quant à Collinson, il est déjà là. Mais... Je crois que la peinture n'est plus vraiment son chemin.

La voix de Christina s'était altérée en prononçant ces derniers mots. Millais savait l'amour réciproque que se portaient Christina Rossetti et James Collinson. Mais cette liaison que tout semblait favoriser s'était heurtée à une inclination mystique que tous deux ressentaient comme opposée à leur réunion terrestre. Collinson s'était converti au catholicisme, et cette démarche qui eût dû le rapprocher de Christina avait précipité sa vocation religieuse. Christina elle-même ne semblait concevoir l'amour qu'en le sublimant dans ses poèmes.

— Etranges amants ! songea Millais en lisant sur le visage de Christina les stigmates de leur impossible passion. Pour eux, l'art et l'amour lui-même ne sont qu'un chemin douloureux vers Dieu. Peut-être ont-ils raison, après tout. Peut-être sont-ils les vrais préraphaélites.

— A tout de suite, Christina.

Songeur, Millais monta les marches jusqu'au second étage. La porte du salon était ouverte. Dante Gabriel Rossetti et Collinson étaient là, discutant avec animation devant la cheminée allumée, dans la décoration désuète de la pièce aux meubles lourds où dominait le rouge sombre, les napperons de dentelle jaunis — et déjà tout cela semblait un autre monde, qu'il allait falloir quitter. Collinson et Rossetti. Rien qu'à les voir parler, Millais sentait la blessure profonde entre les frères préraphaélites. Rossetti séducteur, la voix suave et le débit facile, les gestes ronds, enveloppants, un verre de punch à la main. Collinson étriqué, les épaules rentrées, si mal à l'aise dans son corps — dans son regard une infinie douceur. Il hochait lentement la tête pendant que Rossetti l'admonestait :

— Ce n'est pas possible, James ! Alors que vous venez de terminer cette œuvre immense qu'est *Le renoncement de la Reine Elisabeth de Hongrie*, deux ans de travail pour un somptueux résultat qui vous consacre aux yeux du monde, comment pouvez-vous parler d'abandonner la peinture ? Vous entrez seulement en possession de tous vos dons. Ce serait un crime, et... John ! Enfin vous ! Quelle joie !

Les trois hommes se saluèrent avec effusion,

sans chercher à dissimuler leur émotion de se retrouver réunis, dans la chaleur d'un soir qui ressemblait tant aux plus ferventes heures de la confrérie. Prenant Millais à témoin, Rossetti reprit :

— Qu'en pensez-vous, John ? Vous avez vu le tableau du renoncement ? Savez-vous que Collinson se propose d'entrer dans un couvent, de nous priver de cette lumière qu'il a trouvée ?

— Oui, j'ai vu ce tableau, répondit Millais. Je voudrais l'avoir fait. Le faisceau de lumière qui filtre à travers les vitraux pour finir sur le visage d'Elisabeth, irradiant au passage les colonnes de pierre de la cathédrale, est une merveille. Et quel art de la décoration dans les tons jaune orangé du dallage, quel naturel dans le visage des spectateurs qui observent la scène sans la comprendre !

— Je suis très sincèrement touché de vos compliments à tous deux, l'interrompit Collinson. Mais je crois cependant que quelque chose vous échappe et nous sépare... J'ai mis dans ce tableau toute la technique que j'ai apprise auprès de vous, le naturel des attitudes, le goût de la décoration, c'est vrai, mais tout cela pour moi conduisait à une idée — celle d'un renoncement. Elisabeth a refusé le trône pour devenir sainte. Je n'ai pas de royaume, et ne serai jamais un saint. Mais pour moi, ce renoncement n'est pas seulement un bon sujet : c'est ma vie même, et ce que j'ai cherché à travers la peinture, et au-delà — une frontière, une porte étroite, qui s'ouvre aujourd'hui à mes yeux sur un autre monde ; pour moi, ce n'est pas un renoncement, mais un passage.

Un silence suivit les paroles enfiévrées de Collinson. Seule la voix de Dante Gabriel Rossetti pouvait oser s'élever ensuite.

— A chacun son chemin, James. Je crois pour ma part que la peinture est un passage... vers la peinture, que l'art est par lui-même un au-delà. Il possède son propre bien, son propre mal, et s'il rencontre le divin, ce n'est pas pour s'y effacer, mais pour aller toujours plus loin dans la voie qui a permis cette rencontre.

Dans l'enthousiasme de la discussion, les trois hommes n'avaient pas entendu Christina s'approcher. Ford Madox Brown et sa compagne Emma étaient sur ses talons. Sans même laisser aux compagnons le temps de saluer les nouveaux arrivants, la sœur de Rossetti éclata :

— Quel incroyable orgueil est le tien, Dante Gabriel ! Et quel mal tu nous fais, à James, à moi-même, à d'autres, aussi, qui ont été séduits par des paroles bien différentes nées de tes propres lèvres. Les préraphaélites italiens ne plaçaient pas leur art au-dessus de Dieu. On parle aujourd'hui d'eux en disant *les peintres du Quattrocento*, et c'est ce qu'ils souhaitaient de toute leur âme — que l'on oublie leur nom pour glorifier à travers eux la foi qui leur donnait tout leur talent. En réveillant leur message, tu avais trouvé la vérité. Mais aujourd'hui tu rêves seulement d'être Dante Gabriel Rossetti.

Prenant violemment à partie les autres témoins de la scène, elle poursuivit :

— Et John Millais rêve de devenir peut-être un jour Sir John Everett Millais, qui sait ? Et vous, Ford Madox Brown, malgré votre mélancolie, vous rêvez de Ford Madox Brown. Qu'avez-vous fait de la première vérité, qu'avez-vous fait des préraphaélites ?

Un sourire gêné cachait mal sur les visages la profonde émotion que Christina venait de faire naître.

— Eh bien ! fit Millais en toussotant. Je crois avoir choisi mon jour pour revenir à Charlotte Street. Nous voici pour le moins dans le vif du sujet !

— Oui, reprit en écho Ford Madox Brown. J'arrive à peine, et cependant j'ai l'impression d'être plongé dans la source même de mes insomnies actuelles ! Christina ! Malgré toute la respectueuse affection que j'ai pour vous, je ne partage pas vos vues, vous le savez. Mais vous avez raison de mettre en cause le mot *préraphaélite*. Nous étions... Pardon, nous sommes un groupe d'amis, soucieux d'aller en peinture dans la même direction, en accordant davantage au regard intérieur du peintre qu'à l'exactitude de la réalité, en attachant plus d'importance au naturel qu'à la reproduction figée d'une image conformiste. Le mot *préraphaélite* a été notre oriflamme. Il faut toujours un mot pour résumer les mouvements artistiques. Mais John Millais est mieux placé que moi pour rappeler la fragilité de son origine.

— C'est vrai, convint Millais. Un jour, à l'atelier de la Royal Academy, j'ai eu l'audace de critiquer l'aspect gourmé de la *Transfiguration* de Raphaël, par contraste avec les tableaux des primitifs italiens. Un des étudiants présents m'a alors lancé : « Mais alors, vous êtes préraphaélites ! » Nous avons donc revendiqué ce nom. Mais il ne traduisait de notre part qu'une attitude, un état d'esprit. Ce n'était surtout pas une religion de l'art, et moins encore l'art au service de la religion.

Rossetti et Brown émirent un murmure approbateur. Christina, accablée, secouait la tête en silence. Alors la voix calme de Collinson monta. Il parlait sans les regarder, les yeux tournés vers la fenêtre battue d'une averse de pluie gelée. Comme il semblait lointain, déjà !

— Il y avait plus qu'une attitude, et vous le savez bien. Il y avait un chemin vers Dieu ; vous l'avez détourné. A quoi bon peindre des visages de saintes, si ce n'est pour percer le mystère de la sainteté ? Mais vous, Millais, et vous surtout, Dante, puisque vous semblez être fait pour nous donner la voie sans la suivre vous-même, vous savez bien quelle perversion s'est peu à peu glissée en vous. Vous avez peint la sainteté avec des gestes et des regards de plus en plus sensuels, d'autant plus équivoques qu'ils étaient censés traduire la sainteté au naturel. Vos derniers tableaux me gênent. Leur facture est extraordinaire, mais il y flotte comme un malaise, une confusion entre le bien et le mal qui m'attriste et vous attire. Dante Gabriel, je n'aime pas le regard de votre servante du Seigneur. Et je crois qu'il vous faudra désormais d'autres modèles que Christina.

— Je ne peux supporter cette image de moi, prolongea en écho Christina dans un souffle.

Quelles tristes retrouvailles ! Comme pour un enterrement, ils ne pouvaient parler sans accroître le mal qui les séparait malgré eux. Au fond de leur cœur, ils souhaitaient être ensemble, mais une voix intérieure leur refusait la moindre concession. Un nouveau silence s'installait, planait sur le salon, et l'on entendait seulement la pluie givrée contre les carreaux, le pétillement des bûches. Chacun savait tout ce que l'autre pouvait dire, et c'était une scène de théâtre insupportable, où l'on ne pouvait sortir de son rôle, sans l'avoir vraiment choisi. Mais le silence, la gêne même d'être rassemblés semblaient précieux, soudain, comme un espace vierge où l'on pouvait attendre, avant que tout ne bascule. Et c'est dans ce silence-là, dans ce cristal tendu d'attente transparente que Walter Deverell pénétra dans la pièce, mobilisant tous les regards. Sans rien connaître des répliques qui l'avaient précédé, Deverell saisit d'emblée tout ce que la mise en scène avait de grave et de prémédité, ce 10 janvier de 1851. Il était venu tard pour faire son effet. Mais lui aussi sentit peser le poids d'un rôle qui le dépassait. Jamais acteur n'eût pu rêver d'attention plus exacerbée au moment de laisser tomber l'éclair d'une réplique :

— J'ai le plaisir de vous présenter Elizabeth Siddal, dit-il en s'écartant.

21 MARS 1851

17 Red Lion Square
Elizabeth Siddal
à Emma Madox Brown

Chère Emma,

Ainsi, depuis cette étrange soirée chez les Rossetti es-tu devenue madame Madox Brown ! Quelle surprise pour moi de te retrouver là-bas, l'autre soir ! Je savais que tu avais quitté l'atelier afin de poser pour des peintres — tu m'avais même poussée à en faire autant, en me disant que c'était moins fatigant que de faire des chapeaux douze heures par jour. Sans le vouloir, j'ai suivi ton conseil, et je n'ai qu'un regret, c'est de ne pouvoir partager avec toi cette nouvelle vie, puisque ton mari semble si soucieux de t'enlever aux yeux du monde. Certes, Hampstead n'est pas si loin de Londres, mais c'est quand même la campagne. Quand viendrez-vous ici ? Quand Madox Brown souhaitera-t-il revoir Deverell et Rossetti ? Eux qu'on disait inséparables ! Pour nous, c'était plus facile de bavarder sur la longue table de chez Harry's. Et nous aurions tant à nous dire ! Car c'est un monde fascinant mais bien curieux que celui où depuis deux mois je pénètre à mon tour. Je ne sais trop par où commencer en t'écrivant. Il y a eu tant de choses. Cette soirée, d'abord. Le malaise qui m'en est resté ne s'effacera jamais, je le crains.

Je connaissais Walter depuis un mois environ. Un soir, il était venu m'attendre à la sortie de chez Harry's — comme Ford Madox Brown a dû faire pour toi. Ah ! nous ne manquions pas de soupirants ! Mais des garçons comme lui, je n'en avais jamais rencontré. Cet air lointain, cette gentillesse, cet aspect fragile, aussi. J'ai encore ses mots en tête :

— Mademoiselle, a-t-on le droit de parler aux apparitions ?

Quel romantisme ! Mais cela m'a plu d'emblée, je ne le cache pas. Il m'a priée de poser pour lui. Je me suis souvenue de toi. L'idée d'échapper au train-train de l'atelier me séduisait. Il est venu à la maison demander à ma mère son autorisation. Elle a accepté plus facilement que je ne l'aurais pensé, à la condition que je ne pose jamais nue. Il m'a d'abord emmenée en cachette dans son atelier, une vieille grange au fond du domaine de ses parents. Ce que j'ai vu là-bas m'a parlé tout de suite. Les tableaux de Walter, avec des jeunes femmes distinguées, très pures, parlant à des oiseaux. Mais plus encore ceux de Gabriel Rossetti, qui partage l'atelier avec lui. Je ne connais rien à la peinture, mais mon cœur a battu en découvrant ses toiles. C'est comme une autre vie — il me semble bizarrement l'avoir déjà vécue dans une autre existence. Il y a un grand silence, de la tristesse, presque un malaise aussi, et cela fait tant de bien, pourtant. Walter m'a parlé de Dante Gabriel avec un enthousiasme un peu naïf. J'ai dû me rendre au 50 Charlotte Street pour rencontrer le grand Millais, l'immense Rossetti !

J'avais raison de redouter cette rencontre. Quelle mortelle impression, dès que j'ai franchi la porte du salon ! Il y a eu la joie de te découvrir, bien sûr, mais quel silence chez les autres — silence si clairement hostile de Christina et Francesca Rossetti, silence presque plus gênant encore de John Millais et de Gabriel, surtout, qui me regardaient comme si je tombais d'une autre planète. J'ai nettement perçu les mots prononcés à mi-voix par Collinson :

— Je crois qu'il n'y a pas de hasard...

Je ne discernais rien de ce qu'il voulait dire. Mais j'ai compris que ces mots-là m'accueillaient d'une saisissante manière, répondaient à cette gêne si oppressante que j'ai ressentie en pénétrant dans la pièce.

C'était bien le début d'une autre vie, si loin de notre monotone existence de chez Harry's. Walter partage avec Dante Gabriel cet appartement d'où je t'écris, Red Lion Square. Il y règne un incroyable désordre de toiles, de livres, d'objets hétéroclites. J'ai ma chambre, et mes deux chevaliers servants sont avec moi d'une étonnante courtoisie. Walter est amoureux de moi, je crois, bien qu'il n'ait jamais tenté de me le dire. Il me veut comme image, et me peint tout le jour, le plus souvent dans l'appartement même. D'autres modèles

51

viennent aussi dans la journée. Des filles très belles et qui se ressemblent un peu, avec de longs cheveux et des yeux clairs, toujours. Elles ne m'aiment guère, car leurs rapports avec Dante et Walter ne sont pas les mêmes. Rossetti est odieux avec elles, violent et parfois presque obscène et entre deux bordées de jurons, il se tourne vers moi, et me parle avec une déférence exquise, quoiqu'un peu prononcée. Il me fait peur et me fascine. Le soir, il disparaît, pour ne rentrer qu'au petit matin, le plus souvent très éméché, comme n'importe quelle brute — et sa peinture est si céleste !

Il a tenu à ce que je lise La Divine Comédie. Le livre m'a d'abord ennuyée, déroutée. Mais j'y suis entrée peu à peu, et je ne le quitte plus, désormais. Le père de Dante Gabriel a voué toute sa vie à Dante Alighieri, à la traduction de son texte et au commentaire de son message. C'est pourquoi il a nommé son fils ainsi, tu le sais sans doute. C'est un prénom dur à porter, mais le destin de son propriétaire n'aura rien d'ordinaire, je le sens. Je ne sais si son chemin va de l'enfer au paradis, mais, près de lui, les autres semblent s'effacer. Lorsqu'il parle, on tombe sous le charme de sa voix très douce, veloutée. D'autres fois, il reste prostré, les yeux perdus dans le vague...

Tel est mon compagnon le plus envahissant, ma douce Emma... En quelques mois, ma vie a basculé vers d'autres cieux. J'espère te revoir au plus vite, même si les préraphaélites s'évitent un peu, en ce moment. J'ai su que l'exposition de la Royal Academy avait été épouvantable cette année pour Hunt et pour

Millais, pour ton mari aussi. Les critiques sont des gens infâmes, qui jouent stupidement de ce pouvoir qu'ils ont reçu d'une société bien-pensante. Tu vois, je fais déjà partie du clan par la pensée.

Je t'embrasse,

Elizabeth

Le soir tombait sur Londres. Les brumes montaient de la Tamise, et c'était le fleuve lui-même qui semblait envahir les rues. Echarpe humide au long des rues. Echarpe humide et douce où l'on se sent flottant et peut-être ébloui, quand on a bu déjà un peu d'alcool, quand on a pris déjà un peu de laudanum, et quand on a besoin de s'inventer la trace d'un remords.

Rossetti quittait Red Lion Square et, un vague sourire aux lèvres, s'enfonçait dans la ville. Il allait jusqu'au port par ces avenues dangereuses où les bourgeois n'allaient jamais. Jamaïca Road, Ratcliffe Highway, il se sentait étrangement à l'aise. Connaissant tout du manège des gonophs*, il attendait qu'un gamin entraîné depuis sa plus tendre enfance au vol à la tire hurle la phrase consacrée : « La graisse fout l'camp ! » Aussitôt, une nuée d'adolescents se ruait sur la voiture mal

* Mot d'argot désignant un voleur opérant dans la rue.

55

chargée, et malgré les coups de fouet du roulier, dévalisait les marchandises avant de s'évanouir, poursuivie par des cris impuissants qui résonnaient dans les ruelles moites. Rossetti éprouvait une étrange jouissance à voir ainsi bafoués l'ordre public et la propriété. Au fond des bas quartiers, toutes les valeurs de l'establishment britannique étaient perverties, renversées. Dante Gabriel aimait qu'il en fût ainsi. Il aurait pu se sentir en danger, devenir la proie des swell mobs* ; mais quelque chose dans son attitude devait le situer d'emblée de l'autre côté, du côté des voleurs, des criminels, des prostituées.

L'artiste est un bourgeois de la pègre, et la pègre lui donne d'étonnants laissez-passer. Il descend vers le bas pour en connaître le vertige. Comme son frère d'âme s'engloutissant dans les cercles d'enfer, Rossetti marchait vers la lumière en clair-obscur enfouie au plus profond de la débauche portuaire.

Silhouettes sombres, pavés gras, vapeurs fétides dans un ciel mauve orange à la couleur de mauvais rêve, il se plongeait dans cet envers de Londres où dormait quelque part une secrète vérité. Cet enfer lui faisait un bien physique. Ecartelé entre le mal et l'idéal, il s'enfuyait loin du sommeil, qu'il redoutait comme une chute incontrôlée dans un abîme noir. Tout au fond de la

* Pickpocket s'attaquant à un public raffiné.

nuit, ses marches de hasard restaient dans sa couleur ; tout lui obéissait. Sans bien savoir où il allait, il descendait au plus sombre, au plus sourd ; puis, lentement, de la solitude fantomatique des quais les plus abandonnés, il remontait vers les lumières de la ville.

Il marcha longtemps ce soir-là. Après les grues vermillonnées du port et les détrousseurs misérables, il revint doucement à l'exubérance factice des endroits de plaisir. Au nord de Haymarket, le long de Windmill Street et dans les venelles alentour, la nuit était plus vivante qu'un jour. En cette fin de mars à peine un peu plus douce, après l'hiver glacial, toute une humanité cosmopolite s'y mêlait bruyamment : dandys à chapeau claque et plastron empesé, voyous provocateurs mal rasés, prostituées moirées de soie marchant par trois, saisissant par le bras d'éventuels clients qui se dégageaient mollement.

Rossetti s'engouffra dans un long passage faiblement éclairé. Laurent dancing Academy. Les lettres blanches en relief sur les vitres annonçaient solennellement un lieu qui n'avait rien d'académique. Il pénétra en habitué dans l'établissement. Après un corridor des plus réduits, au vestiaire encombré de monceaux de capes amoncelées, Dante Gabriel s'arrêta quelques secondes au seuil de la piste de danse. Sous les lustres à pendeloques, une foule confuse se mêlait frénétiquement, au rythme de violons invisibles. La fumée des cigares flottait au-dessus des danseurs, en nuage laineux, presque compact. Au long des murs, des banquettes capitonnées de velours vieux rose, où des filles à demi allongées gloussaient derrière des éventails. Des hommes en frac buvaient debout des flûtes de champagne en échangeant de bruyantes plaisanteries. Se frayant un passage, Dante Gabriel gagna le comptoir surélevé où trônait Mrs. Smith, la patronne du lieu. Blafarde et molle, les joues tombantes lourdement fardées par un plâtrage farineux, Mrs. Smith régnait sur son empire nocturne, la fournaise centrale de la piste de danse, et tout autour les déambulations, les œillades, les rencontres, les phrases chuchotées : toute une diplomatie secrète et sournoise, en marge de l'excitation bon enfant.

— Mon beau prince italien ! s'exclama-t-elle en apercevant Gabriel. C'est aujourd'hui que tu viens faire mon portrait ?

Rossetti se prêta de bonne grâce au niais marivaudage de la tenancière, avec un sourire de circonstance qui semblait lui trouver toutes les finesses. Si Mrs. Smith était flattée de sa présence, il éprouvait pour sa part une certaine fatuité à passer pour un affranchi aux yeux des fumeurs du promenoir.

Cette halte obligatoire ménagée, il abandonna la patronne pour gagner la galerie du haut. Là, des appliques à globes dispensaient une lumière tamisée, entre de hauts miroirs rectangulaires. Des femmes très décolletées déambulaient nonchalamment, l'œil amusé, le port de tête majestueux contrastant avec cet abandon voluptueux des hanches libres. Dante Gabriel aimait croiser le fer de ces regards offerts dans une invite virtuelle, qui gardait son mystère tant qu'aucun mot ne s'échappait d'aucune lèvre. Lui qui savait mener sur la toile la quête d'un regard jusqu'à la plus exigeante spiritualité ; lui qui savait aussi comme personne y jeter l'ombre infime d'un trouble, et faire basculer alors un visage de sainte vers l'inquiétude sensuelle où se lisait encore un désir éperdu d'innocence ; lui, le révélateur d'âme au plus secret des corps, éprouvait un long plaisir à boire ces regards. Croiser longtemps le regard d'une fille était toute sa vie. Sainte ou putain, c'était la même chance ouverte, le même absolu. Un regard arrêtait le sien. Une autre vie possible rencontrée, un ailleurs, un espace. Plus rien n'existait. Se regarder quelques secondes en se croisant, c'était cent fois faire l'amour, en éprouver cent fois le remords, la blessure. Le remords. Les reproches de Christina bourdonnaient encore dans sa tête, mais il ne luttait pas contre cette sensualité qui le submergeait par vagues. De même, il ne pouvait se départir au tréfonds de lui-même d'un rêve d'idéal où la chair devenait le mal. Le regard était la frontière, comme un signe d'ici en route vers l'ailleurs. Mais quelle volupté douce et perverse quand l'insistante clarté du regard s'ouvrait sur la promesse silencieuse du langage des corps...

Etourdi par toutes les pensées contradictoires qui se bousculaient en lui sans espoir de repos, Rossetti s'accouda à la haute rambarde de bois sombre. En bas, sur la piste de danse, la joie se donnait libre cours. Que ne suis-je fait pour me mêler à cette exubérance, y oublier tous mes tourments ? songeait-il. La vie est simple, pour certains. On aime, on est heureux, ou triste, on danse, on boit, on meurt. Mais moi, je suis celui qui reste en retrait de la danse. Il y a cette nuit dans Londres des gens qui dorment à poings fermés, et tant d'autres qui dansent. Et moi, je ne voudrais jamais ni dormir ni danser, pourquoi ?

Dans ce brouillard de la fumée, dans la rumeur des cris mêlés, l'aigre musique des violons, Dante regardait, fasciné, cette foule indécise et mouvante du plaisir, si proche et si lointaine.

— Aurai-je l'honneur d'avoir ce soir dans mon humble logis le grand Gabriel Rossetti ?

La voix féminine était grave, et nuançait la banalité des mots d'une caresse de langueur. Rossetti releva lentement la tête, et comme émergeant du sommeil regarda quelques secondes sans parler l'apparition frôleuse qui s'était glissée à ses côtés.

— Olivia ! Je crois toujours être chasseur, et

c'est toi qui me trouves. Comme tu es belle ! Laisse-moi te regarder.

La jeune femme inclina la tête sur son épaule découverte, et sans gêne apparente se laissa admirer. Malgré ses yeux d'un bleu d'opale souligné par la même tonalité de sa robe de soie, elle avait le type italien : très brune, la peau mate, les cheveux relevés en chignon, un grain de beauté minuscule près des lèvres.

— Non, pas ce soir, fit enfin Rossetti. Tu sais combien je te désire, et tu es aujourd'hui plus ensorcelante que jamais. Mais... J'ai besoin de toute mon énergie pour une autre rencontre.

— Alors pourquoi venir ici ? coupa-t-elle. Mon pauvre Dante ! Sauras-tu jamais ce que tu cherches ?

— Tu as raison. Pourquoi ? Je n'en sais rien. Mais j'avais besoin de marcher, besoin aussi de regarder tous ces imbéciles, dit-il en désignant le cercle des danseurs.

Un voile passa dans les yeux clairs d'Olivia.

— Tu n'es pas le seul à te lasser de la Laurent dancing Academy. Si ma vie n'en dépendait pas, je serais loin d'ici...

Et, songeuse, comme se parlant à elle-même, elle reprit :

— Peut-être à Bath, ou même infiniment plus loin, au bord de la mer, en France... Je suis allée à Nice quand j'étais enfant. Il n'y avait pas de brume... des palmiers sur le ciel bleu... Tu ne m'écoutes pas, Gabriel, mais peu importe. Quelle est cette rencontre dont tu me parlais ? Je voudrais rester près de toi, ce soir ; je ne t'ennuierai pas.

— Après tout, pourquoi pas ? Si tu ne crains pas les esprits, tu peux me suivre. Mais il faudra marcher. C'est dans Bond Street...

Le couple silencieux se retrouva dans les rues de plaisir ; sur leur visage, la même expression mélancolique les accordait aux yeux des passants rencontrés. Puis les noctambules se raréfièrent, et dans la nuit devenue soudain très froide, Olivia n'osa pas se rapprocher de Dante Gabriel. Etrange couple, familier des caresses les plus secrètes, mais qui retrouvait dans la rue un éloignement naturel. Olivia presque timide, Rossetti absorbé, marchaient dans un océan bleu de brume, comme pour souligner cette dualité sociale du corps et de l'âme que la ville tout entière semblait leur imposer. Ils marchèrent longtemps, gagnant l'ennui des quartiers mieux pensants.

Un immeuble en pierre de taille, une porte cochère au marteau de bronze résonnant sourd. On les introduisit en chuchotant dans une pièce sombre. Une dizaine d'hommes en redingote, assis autour d'une table ronde éclairée faiblement par deux chandeliers, psalmodiaient comme une incantation. Ils se turent à l'entrée de Rossetti, regardèrent Olivia d'un air de reproche. Frissonnante, elle se glissa sur une chaise reculée dans l'ombre du salon. Dante Gabriel s'approcha de la table. Tous les regards convergeaient vers lui, dans un pesant silence. Très pâle, les yeux perdus vers le plafond, Rossetti semblait se pénétrer de toutes les énergies presque agressives canalisées vers lui. Depuis longtemps il n'était plus deux ou trois heures du matin, mais une absence d'heure au plus profond des nuits, quelque part dans un océan noir hors du temps, de l'espace. Alors la voix de Gabriel monta, comme surgie de l'outre-tombe :

Et nous passions parmi les ombres affaissées
Sous l'accablante averse, et nous posions nos pieds
Sur cette vanité qui semble être leur corps.

Curieusement, les paroles exaltées de Rossetti semblaient rasséréner les assistants qui ne le fixaient plus, mais regardaient droit devant eux, comme en hypnose, avec un sourire extatique. Seule femme dans cette curieuse assemblée, Olivia, d'abord effrayée, contemplait maintenant la scène en spectatrice intriguée. La vibration des volontés était presque palpable, dans la nudité et l'obscurité du décor — hormis la table et les deux chandeliers, aucun détail n'attirait l'œil. Les murs et le plafond semblaient lointains, vertigineux : tout se tenait dans le cercle diffus de lumière, et dans le regard de ces hommes. Jeunes ou vieux, étudiants ou rentiers, tous étaient réunis à l'évidence pour échapper à la réalité, basculer dans un au-delà presque tangible. Olivia sentit physiquement les ondes de pouvoir se concentrer vers Dante Gabriel. Il parlait lentement, observant des pauses de prostration inspirée, comme s'il éveillait un monde insupportable de présence.

J'arrivai dans un lieu sourd à toute lumière
Qui mugissait comme fait la tempête
Quand la mer se débat contre les vents contraires.

Et c'était la pièce même où planait la voix de Rossetti qui semblait sans effort appareiller vers cet enfer nocturne. Le sourire figé sur les visages se muait peu à peu en masque de terreur. Une sueur mauvaise coulait sur les tempes pâles de Dante Gabriel, dont le rythme oratoire s'accélérait ; la respiration de tous les assistants devenait avec la sienne oppressée, spasmodique :

L'infernal ouragan qui jamais ne s'arrête
Dans sa rafale emporte les esprits
Les roule, les secoue, les heurte, les moleste.

Lors je compris qu'à semblable tourment
Etaient damnés les pêcheurs de la chair
Qui la raison soumettent au désir.

Olivia ne put s'empêcher de sourire en lisant la frayeur inscrite sur tous ces visages. Ainsi le péché de la chair les rendait-il haletants d'angoisse, à l'avance condamnés par le jugement de l'au-delà ! Rossetti lui-même, son amant si ardent, si exigeant, et souvent si pervers, était bien loin de la désinvolture qu'il aimait affecter en la rejoignant dans sa chambre. Quelques secondes, elle eut le sentiment de tenir là à sa portée la secrète fêlure du peuple entier des hommes, si sûrs de leur pou-voir, et si inquiets de leur destin. La peur les rap-prochait enfin de leur état d'enfance : ils étaient clairs, soudain, et un peu dérisoires. Mais Dante Gabriel, après les affres de l'abîme, atteignait maintenant au faîte de l'exaltation :

Vraie louange de Dieu, Béatrice
Comment ne secours-tu celui qui t'aima tant
Qu'il se tira pour toi de la tourbe vulgaire ?

Je suis venu à toi ainsi qu'elle a voulu
Et je t'ai enlevé à cette bête fauve
Qui te coupait le droit chemin du beau sommet.

Ainsi le nom de Béatrice vint-il flotter sur l'as-sistance, comme un mystérieux baume effaçant la torture du désir, l'angoisse des malédictions. Seul dans cette assemblée muette, Rossetti connaissait les mots de *La Divine Comédie*. Mais chacun les prenait à son compte, en faisait un chemin, une présence lumineuse au cœur même de l'obscurité.

Le nom de Béatrice vibra donc dans l'espace, et puis... Les assistants se levèrent en silence, un à un s'effacèrent en quelques mots, en quelques pas feutrés. Aussi magiquement qu'elle s'était sentie transporter dans ce monde bizarre, Olivia se retrouva sur le trottoir aux côtés de Dante Gabriel. Un petit jour au goût acide de vin blanc lavait les trottoirs du matin.

— Qui est cette Béatrice ? osa-t-elle souffler enfin.

Et Rossetti, retrouvant sa voix veloutée, son air condescendant de protecteur affable, mais avec la lenteur d'une extrême fatigue, égrena ces phrases qui semblaient couler sans effort sur le flot de son rêve :

— Ma douce Olivia ! Béatrice... Si elle était dans le présent, le passé n'existerait plus. Si elle était d'ici, c'est l'ailleurs qui perdrait son nom. Je voudrais qu'elle soit, et j'ai si peur qu'elle m'apparaisse.

Et plus bas, tout à coup, après un infime silence :

— C'est une énigme au fond de moi, dans l'apparence d'un visage.

Jamais Rossetti ni Deverell n'avaient vu John Millais dans cet état. Lui d'ordinaire si réservé, si ponctuel, s'était rué sans frapper dans l'appartement de Red Lion Square. Il était à peine huit heures du matin. Dante Gabriel, au retour d'une de ses errances nocturnes, s'était assoupi depuis moins de deux heures sur le sofa du vestibule. Quant à Walter Deverell, en proie à d'inextinguibles quintes de toux, il avait fini par se lever pour échapper à la torture de ce mal qui l'envahissait plus encore lorsqu'il s'allongeait. Malgré la faiblesse du jour, il avait saisi un pinceau, et retouchait vaguement une ombre sur la joue de ce profil — celui d'Elizabeth Siddal, sans doute, mais une Elizabeth qui lui appartenait, dans la mélancolie du matin silencieux, loin de la réalité dont il n'avait que faire.

En proie à la plus vive exaltation, Millais avait secoué sans ménagement le dormeur du vestibule, et brandissait maintenant sous le nez de Deverell un exemplaire du *Times*.

— Ça y est, cette fois, tout est changé ! La malédiction des préraphaélites a vécu sa dernière nuit !

— Pourquoi tout ce tapage ? bougonna la voix sommeilleuse de Rossetti dans son dos. Etes-vous devenu fou, John ?

Les fins cheveux légèrement frisés de Millais étaient dressés dans tous les sens sur son front haut. Sa cravate de soie mal nouée bâillait sur son faux col. Il s'assit près de Dante Gabriel sur le sofa, avala sa salive et reprit de plus belle :

— Le plus fou de nous deux est celui qui se refuse à voir le jour pendant que l'Angleterre entière bascule à nos côtés. Ecoutez plutôt cela, si votre ébriété vous le permet...

— J'écouterai avec plaisir, si toutefois vous cessez de prendre mes pieds pour fauteuil, persifla Rossetti.

Haussant les épaules sans répondre, Millais déploya le *Times*, et lut, d'une voix vibrante d'émotion :

« Les préraphaélites tendent vers le passé en ceci seulement, si tant est qu'ils y atteignent, qu'ils dessineront soit ce qu'ils voient, soit ce qu'ils supposent avoir été la réalité de la scène qu'ils veulent représenter, nonobstant toutes les règles conventionnelles de l'art pictural ; et ils ont choisi leur pseudonyme malheureux, mais non inexact, parce que tous les artistes faisaient ainsi avant Raphaël, alors qu'ils s'efforçaient de peindre de belles toiles plutôt que de représenter la réalité. »

— Oui, Gabriel, c'est de nous qu'il s'agit, sur trois colonnes dans le *Times* ! Mais cela n'est rien. Avez-vous vu de qui sont ces lignes ?

Complètement dégrisé, Rossetti s'était agenouillé sur le sofa, et lisait par-dessus l'épaule de Millais.

— John Ruskin ! s'exclama-t-il en arrachant le journal des mains de son ami. Seigneur, lui ! Le grand professeur de beauté, la voix magistrale d'Oxford et de l'Angleterre tout entière ! Qui lui aura parlé ?...

— Je crois que Coventry Patmore est pour beaucoup...

— Fantastique ! Mais peu importe l'origine. Comment croire que John Ruskin pense cela de nous, et l'écrit dans le *Times* ?

La démarche embrumée, Rossetti s'approcha de la fenêtre et lut avidement. Arrivé à la fin de l'article, il ne put s'empêcher de reprendre à haute voix, comme pour mieux y croire lui-même :

« S'ils refusent de se laisser conduire par des critiques âpres et malveillantes à abandonner les moyens ordinaires propres à influencer les esprits des autres, ils pourront, avec l'expérience, jeter dans notre pays les bases d'une école artistique qui sera la plus noble que le monde ait connue depuis trois siècles. »

— La plus noble que le monde ait connue depuis trois siècles ! Walter, dites-moi que je ne rêve pas ! fit Dante en étreignant Deverell.

Un faible sourire glissa sur les lèvres de ce dernier.

— Sincèrement, je suis très heureux pour vous. Avec Ruskin, le succès ne fait plus de doute.

— Comment, pour vous ? s'offusqua Millais en riant. Nous sommes sur le même bateau, il me semble ?

Réveillée par des éclats de voix inhabituels à cette heure, Elizabeth, dans une longue chemise blanche, les pieds nus, s'était glissée dans la pièce, et partageait la joie de cet instant tant attendu. C'est en la regardant que Deverell répondit :

— Sur le même bateau... Sans doute avez-vous raison ; mais pour moi, le voyage est bientôt terminé, vous le savez. Et quant à ma peinture... John Ruskin a raison. Il parle de vous, John, de Dante Gabriel, de Hunt, aussi. Je resterai un peu dans les regards pour avoir été le modèle de ce dernier dans *Claudio et Isabella*. Mais pour le reste... Il y a dans notre confrérie les trois génies qui doivent vivre ; c'est leur chance méritée que Ruskin salue aujourd'hui. Les autres auront été des ombres, peut-être utiles, mais des ombres quand même, qui s'effacent déjà, chacune à sa manière : Thomas Woolner, exilé en Australie, n'exprimera jamais ce qui aurait pu être la sculpture préraphaélite ; Madox Brown a fui Londres ; Collinson est au couvent ; moi-même, je suis déchiré par cette toux stupide, et plus encore par l'absence de talent.

— Ne dites pas cela ! ordonna Elizabeth. Elle saisit l'épaule de Walter, dans un geste de douceur fraternelle qui fit frissonner ce dernier.

— Vous avez du talent, reprit-elle, et nous en avons tous, même moi qui ne suis qu'une image, un reflet de vos rêves...

— Des miens aussi ! coupa Millais. Je veux absolument que vous soyez mon Ophélie, je vous l'ai dit !

— Oui, continua Elizabeth, lointaine et impavide. C'est toute une aventure que John Ruskin vient saluer aujourd'hui. Nous sommes un regard sur la vie ; c'est ce regard qui fait notre voyage. Ne nous séparons pas !

Mais Deverell hochait la tête tristement. Millais, surexcité, se détournait déjà de lui :

— Gabriel ! Je veux rencontrer Ruskin à tout prix. Si nous savons qui est vraiment cet homme, si nous le gagnons définitivement à notre cause, alors le rêve préraphaélite sera en marche pour toujours.

Avec les premiers jours de juin, le soleil était revenu sur Londres. L'après-midi avait cette clarté douce, fragile, et comme menacée à l'avance que Millais aimait tant. C'était un jour pour peindre, à la campagne, dans un décor naturel — une dimension de l'art que Rossetti, toujours confiné dans ses images médiévales, avait le tort d'ignorer. Millais, quant à lui, avait abandonné en route la voiture qui devait l'emmener jusqu'à Herne Hill, au sud de Londres, et terminait le trajet à pied, la tête nue, en respirant à pleins poumons l'odeur des lilas finissants, au long des grilles et des jardins. Oui, tout était à peindre, en ce jour clair : le vert tendre des feuilles et l'opulence fraîche des buissons de pivoines rouge sombre ou blanc crémeux, la qualité même de la lumière répandue sur ce quartier qui lui semblait si loin de Londres. Mais le printemps n'avait pas à lui seul ce pouvoir de donner de la joie. L'enthousiasme qui poussait John Millais

avait une cause plus secrète, en apparence dérisoire, mais de nature à transcender pour lui tous
les printemps de la terre : John Ruskin et son
épouse Euphemia l'avaient invité à prendre le thé.
C'était là sans doute une politesse des plus ordinaires : un mois auparavant, les Ruskin avaient
été les hôtes des Millais à Gower Street, chez les
parents de John Everett. La rencontre, un peu
étouffante, sous la tutelle parentale, s'était bien
passée. Millais, de nature plutôt nerveuse et
timide, s'était surpris à parler sans effort avec
Effie, la toute jeune femme de Ruskin. Ce dernier s'était montré quant à lui un peu plus réservé, comme si ses dix années supplémentaires,
sa notoriété aussi, l'eussent porté d'emblée à
communiquer plus facilement avec les parents de
Millais qu'avec John Everett lui-même. Mais
aujourd'hui...

Aujourd'hui, Millais était seul sur le chemin,
seul sans ses parents à l'autorité un peu envahissante, seul aussi sans Hunt, sans Rossetti. Malgré
ses théories confraternelles, il éprouvait un plaisir
délicieusement acidulé à être, entre les préraphaélites, celui qu'on distinguait, le chef de file
— une position à laquelle il n'osait prétendre en la
présence de ce beau parleur de Rossetti. Aujour-
d'hui, la conversation ne roulerait pas sur la nouvelle ligne de chemin de fer directe entre Londres
et le pays de Galles ; on en viendrait à l'art, à l'essentiel. D'ailleurs, Ruskin semblait plus que qui-

conque à même de comprendre et de tolérer cette présence affective de parents trop aimants dans la vie d'un artiste fragile, à la santé délicate. Malgré ses succès récents, Millais n'était encore qu'un tout jeune homme, et cette emprise n'avait rien que de très normal. Dans le cas de Ruskin, le phénomène était plus étonnant. A trente-deux ans, le grand John Ruskin, sommité mondiale dans le domaine très réservé de la critique d'art, ne pouvait envisager une conférence à Oxford sans qu'aussitôt sa mère ne le suive à l'hôtel pour le couver. Deux ans auparavant, Ruskin n'avait-il pas trouvé logique d'abandonner plusieurs mois sa jeune épouse pour accompagner ses parents dans les Alpes ? Enfin, la maison que Mr. Ruskin père avait louée pour le jeune couple à Herne Hill n'était-elle pas située à proximité de Denmark Hill, la demeure des parents Ruskin ? Plus encore, cette maison de Herne Hill se dressait tout près de la propriété natale de John Ruskin — comme si ce dernier était voué à rester lié pour toujours à ses parents, à son enfance.

Voilà les éléments épars d'un attachement filial exceptionnel que Millais avait rassemblés par bribes lors de la visite des Ruskin. Il lui avait semblé alors que la rencontre n'était pas fortuite, et que Ruskin se présentait sur le chemin comme un autre lui-même, projeté dans le temps dix ans plus tard. Le rapprochement ne s'arrêtait pas là. Millais avait installé son atelier dans la maison même de ses parents, à Gower Street. Ruskin, quant à lui, trouvait normal de quitter chaque jour Effie pour aller travailler à Denmark Hill, sous le regard bienveillant de son père.

— Serai-je ainsi dans dix ans ? songeait Millais. Peut-être pas tout à fait, si je rencontre d'ici là la femme de ma vie.

Mais ses pensées à ce sujet restaient des plus vagues.

Perdu dans ses réflexions, Millais était parvenu devant le portail ouvert de Herne Hill. Une belle maison déjà très campagnarde, avec sa véranda, son perron large. Au mur courait une glycine ancienne au tronc retordu, dont les premières fleurs s'épanouissaient en grappes frêles — John Everett aimait leur couleur mauve pâle, leur parfum, qui lui faisaient penser à des vieilles dames fraîches et soignées. Une allée ronde de sable blond entourait un massif de rhododendrons dont le rose délicat, le blanc presque beige répondaient à l'éclat plus agressif de pivoines pourpres. En levant les yeux, Millais vit au deuxième étage une terrasse où Effie et John devaient le soir échanger doucement des paroles sans importance, des projets lointains...

Mais John Ruskin avait guetté son visiteur, et s'approchait déjà d'un pas rapide et sec. Il salua Millais avec une vigueur très amicale. Quelque chose en Ruskin empêchait cependant qu'on se sentît à l'aise près de lui. Peut-être ce regard si pénétrant, si clair sous des sourcils blonds très fournis, prompts à se froncer — comme un ciel lumineux où la menace de l'orage serait restée curieusement suspendue. Peut-être aussi cette bouche amère un peu dédaigneuse, dont les lèvres fines aux commissures baissées semblaient toujours prêtes à porter un jugement définitif.

— Heureux de vous voir ici, John, dit-il en faisant pénétrer son hôte dans le vestibule. Vous serez aimable de ne pas trop prendre garde à la décoration. Effie et moi — c'est un des seuls points sur lesquels nous convergions ces temps-ci — Effie et moi, disais-je, tombons d'accord pour la trouver exécrable. J'ai le regret d'ajouter que c'est mon père qui a tout choisi.

Après l'exubérance raisonnable et parfumée du jardin, après l'éclat de la lumière printanière, Millais eut la sensation désagréable de plonger soudain dans un lieu glacial, incroyablement austère pour un jeune couple épris des audaces de l'art nouveau. Une salle à manger presque vide, dont les miroirs aux cadres raides et dépouillés multipliaient la froideur, le silence. Une cheminée de marbre immense aux cariatides énigmatiques, des chaises Renaissance en quantité excessive, sagement rangées autour d'une longue table parfaitement vernissée. Une hauteur de plafond bien disproportionnée avec l'intimité que Millais s'attendait à découvrir, à pénétrer : l'ensemble révélait une indifférence presque hostile.

— Je sais, c'est affreux, reprit cyniquement Ruskin Ne protestez pas ; la déception se lit sur votre visage. Au demeurant, la nudité stupide de cette pièce correspond peut-être à la vie que nous menons ici, Effie et moi.

— Vous voyagez beaucoup, je crois, balbutia Millais, comme s'il craignait d'en entendre trop.

— Oui, nous revenons d'un long séjour à Venise. Mais là n'est pas la raison essentielle de cette atmosphère quelque peu réfrigérante, répondit Ruskin avec un petit rire de dérision qui sembla parfaitement inconvenant à son hôte.

— Voici ma chère moitié ! Je ne doute pas que son charme ne vous rende cet endroit plus chaleureux.

Ce fut en effet avec soulagement que Millais vit s'avancer Euphemia Ruskin. Lors de leur première rencontre, Ruskin n'avait rien révélé de cette froideur conjugale qui s'étalait au grand jour, dans l'ennuyeuse salle à manger de Herne Hill. Avec Effie, cependant, tout devenait plus humain, plus facile. Elle n'avait rien du charme mystérieux, un peu intimidant, d'une Elizabeth Siddal. Pas vraiment belle, Euphemia était incontestablement jolie, avec ses cheveux sombres demi-longs, qui ondulaient légèrement de chaque côté d'une raie nette comme un chemin de neige. Des yeux vifs, contrastant avec l'ampleur des sourcils étirés jusqu'aux tempes ; une bouche fine, l'ovale très doux d'un visage au teint clair, d'une pâleur lumineuse : tout en elle respirait à la fois l'intelligence et la gravité. Vêtue d'une longue robe noire égayée par un petit col rond, un amusant carré de dentelle piqué dans les cheveux, elle souriait à son visiteur, comme s'il apportait avec lui une bouffée d'air frais dans une journée oppressante. Elle dirigea Millais vers un bout de la trop longue table où ils s'assirent tous trois. Un domestique apporta le thé. On détailla le moindre de ses gestes, pour alléger le poids de ce silence déjà pénible, que John Ruskin rompit enfin :

— Vous ne m'en voudrez pas si je vous quitte un peu rapidement. Peut-être savez-vous que je rédige actuellement *Les pierres de Venise*, un ouvrage sur l'architecture secrète de la ville qui renouvellera le genre, je l'espère.

— J'en ai beaucoup entendu parler ! s'empressa Millais, ravi de dissiper le malaise en enfourchant le premier sujet susceptible d'intéresser le maître.

— Il paraît que vous vous êtes livré sur des échafaudages aux acrobaties les plus téméraires pour traquer les replis des moindres bas-reliefs.

— Eh bien ! Les nouvelles courent vite à Londres ! reprit Ruskin, plus flatté qu'il ne voulut le laisser paraître. Je n'ai pourtant rien d'un gymnaste, mais la passion, mon cher ! Que ne ferait-on, poussé par la passion ? D'ailleurs, je n'ai rien à vous apprendre dans ce domaine.

— Je voulais justement vous redire à ce sujet

combien j'ai été touché... Nous avons été touchés...

— Laissons cela, c'est de l'histoire ancienne. Un article, rien de plus. Au demeurant, je n'ai dit que ce que je pensais.

Et soudain doctoral, les sourcils froncés, avec une sorte de violence intérieure d'autant plus impressionnante qu'elle restait très civilisée, Ruskin reprit :

— Dans mon esprit, cet article vous donne plus de devoirs que de droits. Je m'intéresse depuis longtemps au mouvement préraphaélite. Les thèmes qui vous ont séduit m'attirent moins que la fraîcheur nouvelle avec laquelle vous abordez la couleur, que ce symbolisme étonnant qui habite vos toiles, et celles de Rossetti, transformant le moindre élément de décor en paysage d'âme.

Il parlait lentement, le visage presque immobile, avec l'assurance tranquille du conférencier. Bien que passionné par ce cours professoral qui le concernait au plus vif de son être, Millais jetait de temps en temps un bref regard à Euphemia étrangement absente, détachée, le bras sur l'accoudoir, le menton sur la main, parfaite et insolente. Mais Millais sursauta. Le ton de Ruskin était devenu soudain d'une sévérité qui lui rappelait davantage ses années de collège que la consommation amicale du thé par un bel après-midi de juin :

— Pour ce qui vous touche personnellement,

mon cher Millais, je ne saurais trop vous mettre en garde contre un excès de romantisme. Ainsi, cette *Ophélie* dont vous m'avez parlé comme de votre grand projet ; j'ai peur qu'il ne s'agisse de quelque chose de bien mièvre. Nous sommes au siècle de Turner, que diable ! Bien sûr, votre voie est ailleurs. Mais ne vous noyez pas dans un fatras plus ou moins médiéval de poussiéreuses solennités. Vous avez la lumière, la couleur. Vous viendrez avec nous en Ecosse, peindre l'eau des torrents éclaboussant les pierres, et vous serez surpris de ce que votre art y gagnera.

John Everett Millais se demandait s'il ne rêvait pas. Ainsi le grand Ruskin envisageait-il sérieusement de devenir son conseiller, son guide. En même temps, l'autorité implacable dont il faisait preuve l'effrayait un peu, et l'empêchait de goûter sans partage cette révélation toute neuve.

— Eh bien, Millais, vous me semblez surpris ? Croyez-vous que John Ruskin soit homme à se payer de mots ? Si j'ai choisi de vous aider, c'est dans la vie, et non pas dans le *Times*. D'ailleurs, je crois que je proposerai aussi à votre ami Rossetti de nous accompagner. Il a plus encore que vous besoin d'aérer son espace, de travailler sur le motif. Maintenant... Vous voudrez bien m'excuser. *Les pierres de Venise* me réclament. J'ai été ravi de bavarder avec vous, John. A très bientôt.

Bavarder... Le mot avait de quoi faire sourire. Euphemia et John avaient été les auditeurs d'une conférence très didactique. Ils se retrouvèrent donc seuls dans l'immense pièce froide, ne sachant que se dire, et gênés d'éprouver comme une complicité la prolongation de ce silence. Effie proposa un tour au jardin. La fin d'après-midi était d'une douceur offerte qui faisait battre le cœur, pourquoi ? Au-delà de la maison, le jardin se poursuivait loin, plus délaissé : massifs vert sombre d'arbustes qui avaient dû être taillés, mais croissaient à présent en liberté, sur la pelouse aux herbes longues. Au milieu, cette grande allée trop solennelle, bordée de châtaigniers. Ils s'y engagèrent lentement. La lumière dorée filtrée par les feuilles larges semblait à l'unisson de leurs sentiments incertains : ombre de ce malaise que John Ruskin ne voilait guère ; lumière de savoir qu'ils allaient devenir des amis proches, désormais.

— Oui, mon cher Millais, dit enfin Euphemia. Vous découvrez aujourd'hui le couple des Ruskin sous son vrai jour, je le crains. Ne vous récriez pas. Les maisons ont leur langage : objets épars, désordre, indices de vie chaude. Ici, tout est clair et rangé ; ici on ne vit pas vraiment.

Après une longue inspiration, comme si elle se lançait à l'assaut de ce qu'il fallait dire, Effie reprit :

— Et puis... Cette situation même où nous nous retrouvons à l'instant ; ce tête-à-tête inattendu qui vous embarrasse autant que moi : tout cela est parfaitement concerté. Sans doute John est-il retourné aux *Pierres de Venise*. Mais il éprouve aussi en ce moment même une jubilation un peu perverse à nous avoir laissés seule à seul. Sur quoi porterait la conversation, sinon sur lui ? Il sait cela.

Avec une abondance presque lasse, Effie s'épanchait à présent d'une étrange manière, regrettant de le faire, et cependant si désireuse de se libérer.

— Depuis que nous sommes revenus à Londres, je n'ai pu parler à personne. A mes oreilles, seulement les incessants reproches des parents de John sur le moindre détail, et l'incessante lâcheté de leur cher fils qui leur donne toujours raison contre moi. Ô nous savons sauver les apparences ! Mais la vie quotidienne est devenue pesante. Et par-dessus tout cela, cette irritante sensation d'être toujours manipulée... Ainsi, à Venise, mon amitié avec Paulizza...

Un peu effaré, Millais s'enquit de l'identité de ce nouveau personnage. Arrivés au bout de l'allée, ils étaient revenus sur leurs pas, et repartaient pour un nouvel aller-retour qui semblait aller de soi, comme un couple d'amis de longue date flottant loin du réel dans la chaleur de leur conversation.

— Paulizza est un jeune officier que John aime beaucoup. Il me l'a présenté à Venise. Mais vous imaginez la vie de John là-bas. Toujours grimpé sur le toit d'une église, prenant des notes tout le jour. Paulizza souffrait d'une maladie qui lui rendait la lumière insupportable. Il devait rester cloîtré dans sa chambre, un linge humide sur le front pour dissiper les névralgies. Alors, tout doucement, je suis devenue sa confidente. J'aimais sa sensibilité ; je plaignais son destin : j'ai donc pris l'habitude de rester à son chevet. Dehors, la plus belle ville du monde étalait ses splendeurs au grand soleil. Dans l'ombre, j'écoutais cet homme me raconter la vie qu'il aurait pu avoir... C'était une étrange atmosphère. John m'incitait vivement à lui tenir compagnie. J'y éprouvais moi-même un plaisir mêlé de tristesse. Quelqu'un me comprenait enfin, mais cette amitié avait une tonalité mourante, un peu morbide — deux jeunes petits vieux qui se disaient leurs rêves, leurs enfances.

— Et votre mari ne craignait pas...

Effie marqua une longue pause désenchantée avant de répondre à Millais. Elle s'était arrêtée, fixant obstinément une tache de lumière sur le sol, si lointaine et pensive.

— Non seulement John ne craignait pas les ragots, mais j'ai compris bien vite qu'il trouvait une curieuse satisfaction à me laisser ainsi dans une situation un peu compromettante. Je n'irai pas jusqu'à épouser les thèses de mon oncle — ce dernier pense que John me jette sciemment dans les bras d'autres hommes. Mais il favorise un peu bizarrement ces tête-à-tête. Pour ma part, je suis si sûre de moi, si indifférente aussi du qu'en-dira-t-on que cela ne me troublerait guère, si...

— Si quoi ? demanda Millais, profondément choqué par ce qu'il venait d'entendre. Il avait d'abord affecté une prudente réserve — tant son avenir dépendait de John Ruskin, tant il avait de mal à le reconnaître dans le portrait qu'en faisait Euphemia. Mais il comprenait à présent qu'une invincible sympathie le poussait vers la jeune femme. Sa soumission avait quelque chose de pathétique. Isolée près du trio impressionnant formé par John et ses parents, elle assumait sa solitude sans insolence comme sans lâcheté. Son désir même de se confier avait touché profondément John Everett.

— Je sais que je dois vous surprendre. John possède une telle autorité dans le monde philosophique et artistique. Mais si vous entrez dans notre petit cercle, si vous partagez nos jours, vous verrez qu'il est en même temps un enfant... Oui, et dans tous les domaines, vraiment un enfant.

L'allusion était transparente. Millais avait déjà entendu dire que le couple Ruskin n'en était pas un tout à fait — qu'Effie et John n'avaient pas de rapports sexuels, pour employer les mots que tout le monde semblait fuir. La dernière phrase d'Euphemia laissait supposer qu'il ne s'agissait pas là de l'invention de quelques jaloux perfides. Elle sous-entendait par ailleurs que John était le responsable de cette situation. A quel degré de détresse Effie devait-elle en être arrivée pour se risquer à des propos si transparents ! Un être autoritaire jusqu'au despotisme, cynique et impuissant, tel était donc d'après sa propre épouse l'homme auquel les préraphaélites devaient leur début de gloire — celui auquel ils se livraient pour croire en l'avenir.

Un long silence retomba sur l'allée solitaire. Le bleu pâle de la première ébauche de pénombre voilait légèrement le jardin à demi abandonné Depuis longtemps, l'heure était dépassée d'une simple invitation à prendre le thé. Mais John Everett Millais semblait poursuivre dans la fraîcheur du soir naissant le plaisir ambigu de rester sans un mot au bord de ce monde un peu trouble qui s'ouvrait devant lui.

Dante Gabriel Rossetti
à John Ruskin

Cher Maître,

J'ai été profondément touché et honoré de votre invitation. Je ne pourrai malheureusement venir peindre en Ecosse cet été. Je souhaite pourtant profondément vous rencontrer, et profiter de vos conseils éclairés. Mais je ne déguiserai pas la raison qui m'empêche d'accéder à votre proposition. La peinture, la poésie, la vie même ne peuvent avoir aujourd'hui à mes yeux d'autre objet que de poursuivre et de contempler jusqu'à en perdre l'âme celle qui incarne tous mes rêves : j'ai nommé la très pure et très parfaite Elizabeth Siddal. J'espère pouvoir vous la présenter un jour. Ce jour-là, vous comprendrez qu'il n'y ait pour moi d'autres couleurs, d'autres images que celles reflétées par son regard.

Veuillez croire à mon amitié sincère,

D. G. Rossetti

La pierre des Cotswolds est-elle blonde, ou grise ? Blonde, un peu sensuelle, alanguie sur les murs comme un éclat de soleil chaud retenu dans l'espace, une caresse ronde, à l'enclos des maisons. Grise, un peu austère, mais grise pour jouer avec le roux, le blond des herbes et des bois, sur les collines douces où les villages sont blottis, à l'abri sur la terre, au creux des jours. Blonde ou grise, qu'importe. La pierre des Cotswolds au soleil de la fin septembre n'est jamais aveuglante, jamais blanche d'acier, jamais coupante. Ici, la vie est ronde, et l'on pourrait enfouir les remords, les regrets, dans un après-midi couleur de bière, à l'arrière-saison ; atténuer l'éclat douloureux des espoirs et des rêves dans une auberge sans questions, par des chemins sans but, le long de jours délicieux, inutiles.

A Stanton, il ne se passe à peu près rien. Sur la place du village, une croix de pierre sur son socle fragile semble guetter le temps avec une infinie patience. Des enfants courent et se poursuivent en criant, puis disparaissent derrière les petits murs de pierre où dansent les jardins. Sous les toits de tuile vert-de-gris, la vie s'est couverte de mousse, pour atténuer la mort ou la passion. Le long des fenêtres à petits carreaux montent des lambeaux caressants de clématites ou de chèvrefeuille. On croit qu'il va pleuvoir tout le jour, puis un soleil étonnamment tranquille, sûr de lui, s'installe en fin d'après-midi, quand on n'attend plus rien. Bien sûr, l'été s'en est allé. Mais il a laissé au village cette volupté douce des fruits blonds. La vie est chaude, sous les ombres un peu plus longues ; les brumes effilochées quand le soir tombe parlent un cotonneux langage d'abandon. Même les nuits de gel ne blessent pas cette saveur des choses à peine finissantes. Après le froid piquant qui transperce la nuit, le matin s'attiédit...

Ils marchent dans la pluie. La tête nue, ils marchent avec une lenteur presque comique. Les fermiers de Stanton sourient, affectent de ne pas les voir, puis, les mains sur les hanches, les regardent longuement, lorsque leurs silhouettes montent vers la colline, et disparaissent sous l'averse oblique. Ils marchent dans les chemins creux où l'herbe rase perlée d'eau est restée d'un vert de pomme acide. Parfois, la tête renversée, ils semblent boire l'eau du ciel en respirant très fort, comme si la pluie de septembre était une parole claire, trop longtemps attendue, qui calme et purifie.

Elle... Ses cheveux dénoués flottent sur ses épaules, infiniment plus roux que ce début d'automne. Lui... Lui ne compte pas vraiment. Il marche pour marcher près d'elle, et pour la regarder. Elle se laisse regarder. Cela doit être étrange, et difficile. Mais elle a accepté ce jeu, ce rôle qui s'ouvre devant elle, et que personne n'a tenu. Elle était un modèle. Mais elle devient jour après jour beaucoup plus que cela. Elizabeth Siddal est comme un chemin vers l'ailleurs ; elle ne peut l'ignorer. Elle monte dans le chemin creux. Les collines des Cotswolds ourlent l'horizon de vagues sages. Dans les prairies, les moutons dispersés ont chacun leur espace de silence. Des haies de ronces vives rythment l'espace. Elle court soudain, sans raison, en riant, pour s'ébrouer, pour dissiper la gravité qui pèse trop sur ses dix-huit ans. Rossetti la regarde en souriant. Comme sa silhouette est frêle, dans cette robe de velours bleu sombre — les feuilles ambrées d'un chêne, à contre-jour, lui font comme une aura légère. Bleu et or. De bleu et d'or il l'arrête dans la mémoire et puis court à son tour, un peu plus maladroit, la rejoint, essoufflé, la saisit par la taille, l'embrasse au coin des lèvres. Quelques instants encore ils se tiennent la main, puis leurs doigts se séparent — ils s'effleurent à peine. Ils cueillent dans les haies des branches de fusain : c'est la baie qu'ils préfèrent, avec ce mauve pâle velouté entrouvert sur un rouge orange lumineux. Mais le fusain ne serait rien s'il n'y avait juste à côté l'acidité vermillonnée du sorbier des oiseaux, le rouge un peu plus sourd de l'églantier, le noir brillant de la morelle, du sureau. Tous ces fruits du regard, à cueillir sans manger, sont les plus beaux de l'année qui s'écoule. Sur fond de feuilles jaunes ou d'or pâli, ils ne se montrent pas, mais se découvrent pour qui veut les voir, dans une harmonie de couleurs plus automnale que l'automne. Baies doucement gonflées d'une sensuelle vie oblongue, ou d'une gaieté triste et ronde, à l'abri des talus, le long des chemins oubliés, à la lisière, au bord des prés, du temps qui va finir.

A l'auberge de Stanton, on leur a donné deux chambres, sans leur poser de questions. Ils arrivaient par la diligence de Londres, sans trop savoir combien de temps ils resteraient. L'aubergiste a paru surpris. Il en a sûrement parlé avec sa femme, à tous les buveurs du village ; mais ces nouveaux clients avaient pas mal d'argent, apparemment, et des manières distinguées. On a donc fait semblant de trouver très naturel qu'ils se jettent tout le jour des regards enfiévrés, mais dorment dans deux chambres séparées.

L'après-midi, souvent, ils restent dans la salle commune, devant un feu de cheminée. Ils commandent un vin chaud, du thé, des toasts qu'ils font griller au bout d'un pique-feu. Les buveurs de rhum joueurs de cartes se tiennent à distance, lancent parfois une balourdise à double sens qui ricoche en vain sur les épaules indifférentes de Dante Gabriel ou d'Elizabeth. Une planche posée sur les genoux, un crayon à la main, ils dessinent sans fin. Les contours des Cotswolds ? Les branches de fusain amoncelées dans tous les brocs, les vases de leurs chambres ? Les trognes si tentantes à caricaturer des clients de Mount Inn ? Mais non. Ils se dessinent.

Parfois, Elizabeth pousse un soupir, et Rossetti se lève, se penche au-dessus d'elle pour la conseiller. Elle veut apprendre à peindre, à dessiner. Elle veut apprendre à l'aimer comme il l'aime. Et puis... Son destin désormais est d'être ce reflet, ce rêve prolongé dans le regard de l'autre. Mais elle vit cette image. Elle veut l'apprivoiser de l'intérieur, être à la fois le modèle des préraphaélites et la nouvelle Béatrice de Dante Gabriel Rossetti. Dans sa chambre, *La Divine Comédie* est son seul livre de chevet. Parfois, dans le milieu des nuits, une fièvre la gagne, à devenir ainsi comme une autre elle-même. Car elle sait qu'elle ne s'abolit pas. Depuis que Walter Deverell est venu la trouver un soir d'hiver, lui a ouvert la voie d'une autre vie, elle existe, elle, Elizabeth Siddal. Rossetti l'appelle Lizzie, quelquefois, mais plus souvent The Sid — et sous la moquerie apparente, il y a dans ce surnom toute la gravité mystérieuse qu'elle ne s'étonne plus de susciter. Elle est sous le pouvoir de Rossetti ; mais Dante est prisonnier aussi de Béatrice, et Béatrice reste insaisissable.

Ils ont reçu une lettre de Londres, et ne l'ont pas ouverte. Sur l'enveloppe, l'écriture de Deverell. La vie à Red Lion Square n'est plus possible, désormais. La souffrance quotidienne de Walter insulte leur bonheur. De plus, Rossetti supporte mal qu'Elizabeth s'offre au regard d'un autre. Il ne l'empêchera pas d'être dans quelques mois l'Ophélie de Millais, mais déjà il en souffre. A Londres, il a trouvé à Chatham Place, près de Blackfriars Bridge, un grand appartement loin des amis, des parents, des reproches.

Mais oublier tout cela. Les flammes avivent le teint pâle d'Elizabeth, et dansent sur le velours bleu de sa robe. Elle est là pour lui seul, plus belle que jamais. Les pieds posés sur les barreaux d'une chaise voisine, elle est si naturelle ; la finesse fragile de ses traits, l'ampleur flamboyante de ses cheveux défaits semblent plus mystérieuses encore, dans cette pose familière. Le soir brûle si doucement, et l'idée du bonheur n'est pas si méprisable. Le temps s'endort dans l'île bleue de l'automne à Stanton, quelque part loin de tout, dans l'oubli des Cotswolds.

18 OCTOBRE 1851

Herne Hill
Euphemia Ruskin
à Mrs. Gray

Chère Maman,
Pardonne-moi si cette lettre doit te blesser. Mais j'étouffe dans mon silence, et dans l'hypocrisie du monde qui m'entoure ; je ne souhaite plus y ajouter la duplicité de ces petites missives hebdomadaires où je te dis que tout va pour le mieux. A qui me confierais-je, si ce n'est à toi ? Tu sais que je n'ai pas d'amies, vraiment, malgré toutes les réunions mondaines où l'on me voit. Quant aux amis... Je trouve sur ma route les hommes que John y a placés. Hier, c'était Paulizza, aujourd'hui John Everett Millais. J'ai eu pour Paulizza, j'ai pour Millais une affection profonde. Mais il serait inconvenant de leur confier ce que je voudrais essayer de te dire aujourd'hui.
Inconvenant. C'est ce mot-là, pourtant, que je voudrais écorcher, lacérer, supprimer du langage, balayer de mes pensées. Ce mot, et à travers ce mot toute la

froide duplicité de notre époque, que je vois partout présenter comme si sereine, sous la bienveillante autorité de notre bonne reine Victoria. Je ne suis pas sereine. Et c'est tout le silence fait autour de moi que je juge inconvenant, désormais.

Silence. Une jeune fille bien élevée ne doit rien savoir de la sexualité avant le jour de son mariage. Silence. Le jour s'approche, et avec lui grandit la peur. Toutes ces questions inconvenantes, et dont l'écho bourdonne dans un terrifiant silence. Silence. C'est le jour. Le mariage ennuyeux, les familles susceptibles, et puis une calèche vous emmène. A Blair Atholl, tout au fond des Highlands, ce qui doit être aux yeux des autres le nid douillet des jeunes mariés, et qui ne fut pour moi qu'un lac d'angoisse et de silence. Une chambre où l'on se déshabille pour s'offrir — sans même savoir ce que ce mot veut dire. Silence : en face de soi, un homme-enfant de dix ans plus âgé, qui vous touche d'une main glaciale, balbutie quelques mots d'excuse où se mêlent je ne sais quels préceptes religieux. Silence. On est seule, et l'on ne dort pas. Une cascade coule au loin dans la montagne froide. Silence. Les jours passent, les années. On ne vous demande rien. Mais on sent bien qu'on est en faute. La même suspicion qui pesait avant le mariage sur la sexualité pèse à présent sur son absence. Et vous, que pouvez-vous en dire, sinon plus de trois ans après la vérité ? Trois ans, et, depuis Blair Atholl, John ne m'a plus jamais touchée.

Pourtant... Tout aurait pu être différent. Mais je

gardais pour moi mes inquiétudes. Aujourd'hui, je retrouve ces lettres que John m'adressait, du temps de nos fiançailles, et le les trouve transparentes. Mon brûlant amoureux m'écrivait ces mots : « Vous êtes comme une douce forêt, pleine d'aimables clairières et de branches murmurantes — et lorsque les gens parviennent au centre du massif, tout y paraît froid et impénétrable... Vous êtes comme les belles pentes éclatantes de blancheur, douces et vallonnées, d'un grand glacier couvert de neige matinale, fraîchement tombée, belle à voir, molle et plaisante sous le pied ; mais pardessous se trouvent des crevasses tournoyantes et des trous obscurs où les hommes tombent pour ne pas se relever. »

Voilà, Maman. J'ai honte de te découvrir ainsi ma plus secrète intimité, mais c'est moi aujourd'hui qui suis au fond de ce glacier que John invente. Ce n'est pas moi qui lui inspirais cette terreur, mais en moi la femme, et le corps de la femme. Il écrivait sur ce monde inconnu de lui des phrases folles, en reculant déjà devant sa découverte. Bien sûr, je peux comprendre sa frayeur en me souvenant de la mienne. Mais il eût pu me l'avouer, nous en aurions parlé ensemble. Au lieu de cela, il s'est muré dans un silence hautain, me répétant que Dieu recommande l'abstinence, et se rapprochant plus encore de ses parents. Il a son œuvre pour enfant ; cela semble lui suffire. Et moi, peux-tu me dire ce que je suis sur terre ?

Aime-moi,

Euphemia

Elizabeth Siddal frissonna, parcourue d'une sensation de malaise et d'engourdissement. Depuis combien de temps reposait-elle ainsi, le corps plongé dans l'eau à peine tiède de cette baignoire curieusement placée en plein centre de l'atelier de John Millais ? Ces séances de pose extravagantes l'avaient d'abord amusée. Dehors c'était l'hiver, la rumeur de Londres atténuée sous une neige épaisse, bleuie par un froid vif de quinze jours. Elizabeth venait à pied, soufflant devant elle des petits nuages de froid docile ; ses pieds, chaussés de caoutchoucs, s'imprimaient dans la neige dure avec ce craquement feutré qui lui plaisait. Gower Street, elle pénétrait chez les Millais. La porte de l'atelier poussée, une chaleur d'étuve tombait sur elle. Le contraste était agréable. En plus du feu de cheminée toujours copieusement nourri, John Millais avait fait installer un poêle à bois ronfleur. Mais le raffinement, l'étrangeté, c'était ce dispositif placé sous la baignoire : une dizaine de chandelles constamment allumées pour garder l'eau bien chaude. Revêtir une robe de brocart antique, rehaussée de dentelles d'argent. S'engloutir dans ces eaux domestiques, au creux de l'hiver londonien ; c'était comme un jeu, qui semblait prendre à contre-pied tous les usages, et jusqu'au conformisme de la sensation — bien à l'abri du froid, dans l'humide et le chaud, s'abandonner à l'immobilité d'une beauté mouvante : devenir Ophélie.

Rejetée par Hamlet, Ophélie devient folle et se noie. Le personnage avait séduit Millais, mais, au-delà du personnage, ce rêve d'habiter la mort aux couleurs du présent, de basculer ailleurs, dans l'apparence du réel. La folie d'Ophélie, c'était la vie plus forte au moment de finir, c'était comme un automne inaccessible en elle, au milieu du printemps. Millais s'était rendu dans le Surrey pour peindre le décor de son tableau. Au bord de la rivière Hogsmill, il avait peint au naturel une nature si vivante qu'elle pouvait accueillir la mort : feuilles argentées, troncs tordus des saules enchevêtrés, vert sombre des algues menaçantes, vert d'angélique des roseaux coupants ; mais la chaleur joyeuse d'un bouvreuil abricot posé sur une branche, et toute la fraîcheur des aubépines rose pâle endimanchant les buissons de la berge. Sur un carnet d'esquisses, John Everett avait cherché sans relâche le mauve bleu de la violette, le bleu laiteux des myosotis. Plus tard, il avait retrouvé l'éclat des coquelicots, le velouté des anémones, les moindres nuances de toutes ces fleurs-symboles dont il voulait consteller le corps immergé d'Ophélie.

Ainsi, à sa première visite à Gower Street, Elizabeth s'était-elle arrêtée devant cette toile si mystérieuse et vivante, inachevée ; au milieu de l'eau sombre, une grande tache blanche demeurait. Tout comme Rossetti, Millais pratiquait ce fond blanc qui donnait tant de vie à la lumière. Mais là, c'était étrange et aveuglant : cette grande tache claire où elle allait s'incarner dans la mort lui avait fait battre le cœur. Il n'y avait pas de hasard, et c'était à l'avance un rendez-vous avec la voie de son destin. La tache blanche, l'essentiel, le centre du motif : elle acceptait l'idée de devenir tout cela, sans orgueil mais sans innocence. Rossetti avait fait d'elle une Béatrice très consciente de guider les pas de Dante, par son silence même, et son désir de prolonger au plus profond d'elle les signes de son apparence. Depuis près de huit jours, elle devenait Ophélie...

Quelle heure pouvait-il être ? L'après-midi semblait ne pas devoir finir. Millais n'avait plus prononcé un mot depuis si longtemps. Extraordinairement tendu, il jetait sur Elizabeth des coups d'œil incisifs, avec une anxiété clinique. Ses gestes dialoguaient avec la toile, dans une ampleur sereine. Mais son regard sur le modèle avait une intensité, une rapidité presque brutales.

Elizabeth frissonna de nouveau. Etait-ce bien du froid ? Elle ne sentait plus les frontières de son corps, d'abord engourdi par la chaleur, puis peu à peu par cette sensation de fluidité qui la gagnait tout entière. Elle était l'eau, le passage immobile d'un univers fuyant, l'image insaisissable, dédoublée, d'un être abandonné, à quel invisible courant ? La folie, sans doute, cette bizarre sensation de voir grandir démesurément les objets alentour, le chevalet, le poêle à bois, d'entendre gronder à ses tempes une voix sourde, et comme née d'un excès de silence. Elle s'était plu à inventer une folie imaginaire — non la folie de tristesse et de désespoir qui menait Ophélie, mais un mal absolu, qui changeait soudain et sans raison les limites du monde, le carcan des situations sociales, l'empire du temps. Elle pensait à la vie stupide qu'elle avait menée chez Harry's, à l'angoisse imbécile de ne pas avoir fini une capeline pour le soir. Alors, un sourire bizarre venait à ses lèvres. Elle s'immergeait dans cet état nouveau qui n'exigeait plus rien d'elle — simplement devenir. Devenir folle, pourquoi pas ; c'était très doux, dans ces après-midi décalés du réel, dans la tiédeur de l'eau dormante. Folle, si la folie ouvrait un autre monde, une autre chance. Et puis, de la folie, basculer dans la mort : une mort éveillée, la bouche encore ouverte sur la fin d'un chant, une mort ondoyante et liquide qui semblait aborder aux rives protégées d'un très lointain bien-être, enfoui dans la mémoire, en deçà de l'enfance.

Rossetti puis Millais l'avaient tenue dans un projet — la naissance d'une toile. Mais s'étaient-ils jamais demandé quelles pensées la traversaient, pendant qu'elle s'abandonnait ainsi dans un interminable silence ? Ce pays de solitude lui appartenait ; les mots y étaient incongrus. Elle en dessinait les contours de rêve, à sa guise, aux confins de la mort, à la lisière de la folie, quelque part entre Florence, l'Angleterre et l'au-delà, dans une étrange contrée qui prenait les contours et la rousseur de noms de femme : Ophélie, Béatrice...

Ce soir était le dernier soir. Millais serrait les mâchoires, dans l'exaspération des ultimes retouches. Depuis plus d'une heure, les dernières chandelles s'étaient éteintes sous la baignoire insolite. Elizabeth ne savait pas qu'elle tremblait d'un froid réel. Enfin, John Everett posa sa brosse sur le chevalet. Elizabeth se leva sans un mot, jetant un châle sur ses épaules. Sa robe rebrodée d'argent restait collée contre son corps, et dégouttait sur le plancher. Mais peu lui importait. Elle regardait, fascinée : sur la toile, ses longs cheveux noyés se confondaient avec les eaux troublantes et sombres de la rivière. Les anémones et les pensées s'échappaient de ses mains ouvertes, dans un geste d'une étonnante fraîcheur, qui semblait à la fois si hiératique, les paumes tournées vers le ciel. C'était elle, offerte et prisonnière au centre du motif. Elle, et par-delà son corps, tous ces rêves, toutes ces pensées qui l'avaient traversée durant tant d'heures extatiques. Elle était là, éternisée et abolie, là, morte sur la toile plus vivante que sa vie. Elle eut ce geste d'approcher la main pour toucher le grain ensorcelé, la matière magique de ce grand miracle triste. Elle regarda Millais. Millais la regarda. Il faisait presque nuit dans l'atelier. Elle toussa longuement, d'une toux déchirante née du plus profond de son corps, et dont l'écho se prolongea pour la première fois dans la poussière hostile. Les longues vitres obliques bleuissaient sous la neige du soir.

— L'amour est presque méprisable, quand il efface autour de lui le monde.

Rossetti avait prononcé ces mots avec une ironie mordante, ponctuant la phrase d'un rire méprisant. L'appartement de Chatham Place était baigné d'une lumière fraîche et neuve, en ce début d'après-midi du mois de mars. La grande pièce à peindre n'était pas à proprement parler un atelier : des poufs et des sofas, des tapis de tous les tons fauve amoncelés, des livres ouverts dispersés aux quatre coins de la pièce côtoyaient les chevalets, les brosses et les flacons, les tubes de peinture. La porte-fenêtre s'entrouvrait sur le balcon et au-delà la Tamise, miroitant au soleil, sans son manteau habituel de miasmes et de brouillards, d'odeurs nauséabondes.

— Je ne sais plus le nom de l'imbécile qui a prononcé cette phrase l'autre soir, reprit Dante Gabriel. Un ami de mon père, très fier et convaincu de la formule, apparemment. Il ne semblait pas bien comprendre pourquoi ces mots me mettaient en fureur. Comment ne pas être écœuré par ce moralisme satisfait ? Il y a des gens qui ne sauront jamais ce qu'est l'amour, et se font donneurs de leçons.

Elizabeth ne levait pas les yeux pour l'écouter, mais un sourire montait à ses lèvres, tandis qu'elle continuait à dessiner le visage de son amant. Jamais il ne l'avait trouvée si mystérieuse, le visage pâle et serein, auréolé par la chevelure rousse et sombre, nimbée de cette imperceptible aura du contre-jour. Et c'était lui qu'elle dessinait. Elle, l'indicible beauté dont il rêvait depuis toujours, penchait en l'écoutant son visage sur un autre lui-même. Assis sur une chaise sans dossier dont le bois doré, le coussin de velours rouge avaient des allures de Rome impériale, Dante Gabriel gardait la pose en bavardant, le menton relevé ; mais cette attitude apprêtée correspondait très bien au ton solennel avec lequel il s'exprimait.

— C'est au fond du miroir que naît la beauté pure, ma douce Lizzie. Les maîtres flamands le savaient. Ces sorcières au verre bombé qu'on voit au fond des tableaux de Jean Van Eyck, multipliant dans le vertige de l'abyme la richesse des meubles et des étoffes, sont à la fois comme un symbole et un chemin. La Beauté pure sera toujours de Bruges, ou de Venise ; il y faut la magie de l'eau et des reflets, dans un espace de silence. Il faut oser se regarder.

106

Emporté par son discours il se leva soudain, et, sans prêter attention aux progrès picturaux d'Elizabeth, la saisit par le bras, l'emmena fermement devant le plus beau des nombreux miroirs qui constellaient l'atelier-salon. C'était un objet fascinant. Autour de la glace, le cadre déployait une recherche inouïe : une théorie de feuilles d'acanthe en ivoire marqueté nacrait le premier contour de l'image. Plus de dix encadrements de tous les blonds, de tous les bruns des bois les plus divers lui donnaient suite.

— Regarde-toi, car tu es la plus belle. Un artisan a travaillé des mois et des années en espérant qu'un jour tu viennes te noyer dans la neige et l'ambre de ce piège où le temps s'arrête.

Elizabeth se laissait faire, moins docile que complaisante. Depuis longtemps, elle avait abandonné les gestes rétifs de jeune poulain effarouché qui lui venaient, lors des premières séances de pose à Red Lion Square.

— Regarde-toi ! Autour de nous, toute une ville bourdonnante s'affaire, et chacun court vers un destin qu'il ne parviendra pas à rattraper. Mais toi, tu as trouvé l'énigme où s'abolit le monde. Regarde ces cheveux : l'automne n'est pas dans les bois, mais dans leur ombre, apprivoisé. Regarde cette peau : la neige n'est pas dans les champs, mais dans la courbe doucement ourlée de ton épaule. Regarde ton regard : au fond, l'image bouge et se recrée, éternelle et liquide.

Comme ils semblaient ensemble séparés ! Dans son exaltation, Dante Gabriel croyait n'avoir jamais aimé ainsi. Lizzie paraissait si lointaine, fiévreuse autant que pâle. Les paroles de Rossetti l'emmenaient vers sa propre dérive, et cette fuite où elle s'abandonnait n'avait rien d'un partage. Mais quelles hautes solitudes, pour toujours étrangères à la sensualité ! Dante Gabriel avait posé ses mains sur les épaules de Lizzie sans faire naître en elle le moindre frisson. Il en était ainsi, depuis leur installation à Chatham Place. Tout le monde les croyait amant et maîtresse. Mais ils ne faisaient pas l'amour, et se touchaient à peine. Lequel ne l'avait pas voulu ? Aucun des deux n'eût pu le dire. C'était une peur partagée, mais un secret aussi. Ils se gardaient pour un plus long voyage.

Elizabeth se demandait parfois comment elle avait pu changer à ce point. Elle n'avait plus rien de tout ce qui était sa vie d'avant : les bals de Londres, les marches enjouées dans les ruelles avec ses camarades couturières, le travail harassant, mais les plaisanteries légères. Elle avait quitté tout cela comme elle eût fait d'un manteau de hasard, qu'on endosse sans y penser, qu'on quitte sans regret. Il y avait eu cette nouvelle vie, et puis une autre vie encore : à Red Lion Square, Walter Deverell se mourait, peut-être en rêvant d'elle. Bien sûr, Dante avait dit à Deverell qu'il serait toujours le bienvenu à Chatham Place. Mais viendrait-il ?

A Chatham Place, les brouillards entouraient deux solitudes graves, au-delà de Blackfriars Bridge. Il y avait les modèles de passage, de moins en moins nombreux, car Dante ne peignait plus que Dante et Béatrice, dans un culte immobile — le culte de Lizzie. Mais les autres ne venaient plus, comme s'ils redoutaient l'étrangeté d'une planète différente. Pourtant...

On tambourinait bien à la porte d'entrée. Elizabeth et Dante Gabriel s'interrogèrent du regard. Ils n'attendaient aucun modèle. Lizzie sortit enfin de sa torpeur pour accueillir l'indésirable. Sur le palier, dans la pénombre, le sourcil broussailleux, le regard peu amène, se tenait John Ruskin.

Lizzie n'avait rien d'une hôtesse, ni d'une femme d'intérieur. Elle se laissa scruter par le regard si clair, si pénétrant de Ruskin, dans un silence prolongé. Il avait l'habitude de rencontrer dans la réalité le modèle des tableaux qu'il connaissait déjà. Souvent, la déception lui donnait envie de sourire, et confirmait que l'art valait mieux que la vie. Mais là, dans le rayonnement qui émanait d'Elizabeth tout entière, l'art n'était pas le maître, et Ruskin le sentit d'emblée. Quelques secondes un peu gênantes sur le seuil de Chatham Place avaient suffi. La robe grise d'Elizabeth, élégamment pincée à la taille par une large ceinture de même couleur, était d'une étoffe très ordinaire, comme le corsage au petit col blanc qui éclairait son pâle visage. Mais le secret était ailleurs, au-delà de cette chevelure dont John Ruskin savait d'avance la rousseur de miel, au-delà de ce corps frêle au maintien presque hiératique. Tout dans Lizzie traduisait une mystérieuse vibration intérieure, révélait une âme, une qualité de présence indéchiffrable, mais qui changeait l'espace autour d'elle, en faisait son décor.

Sans doute désireux de dissiper cette impression profonde, Ruskin écourta les exclamations de bienvenue de Dante Gabriel :

— Ne vous méprenez pas sur le sens de ma visite, Rossetti. Je suis ravi de faire aujourd'hui la connaissance de votre compagne, et de découvrir l'atmosphère de ce lieu où votre talent s'exprime désormais. Mais c'est aussi un homme fort en colère qui vient vous voir.

Et devant le masque un peu niais, faussement hébété, de Gabriel :

— Vous savez fort bien de quoi je veux parler. Je vous trouve en M. Mac Cracken un généreux commanditaire qui vous a déjà donné trente-cinq guinées. Mais il attend toujours son *Dante dessinant un ange à la mémoire de Béatrice,* un tableau que vous aviez presque terminé il y a deux mois, paraît-il. Où l'avez-vous caché ?

Ruskin parcourut du regard l'étrange pièce où il venait de pénétrer. Le désordre opulent qui s'étalait jusqu'à ses pieds, si loin du décor glacé de Herne Hill, ne semblait pas le choquer. Inquiets, Dante Gabriel et Lizzie guettaient sur son visage une expression de reproche. Ruskin allait d'un chevalet à une toile posée à même le sol, d'une esquisse au crayon à un portrait de Béatrice terminé. Peu à peu son œil bleu changeait de lumière, et la colère faisait place à la stupéfaction. Son regard adouci interrogea Dante Gabriel.

— Je sais, dit celui-ci, embarrassé, en fixant le sol. Beaucoup des toiles de cette série sont terminées. Mais... Je ne pouvais m'en séparer. Elles font partie de ma vie même, plus que jamais.

— Je comprends, coupa Ruskin.

Il n'était que de voir, aux quatre coins de la pièce, le visage, la silhouette, la chevelure d'Elizabeth, transfigurée en fiancée de Dante Alighieri, en Béatrice rêveuse et lointaine. La multiplication de ces images, la présence ensorcelante de Lizzie ; tout cela donnait le tournis, et John Ruskin ne savait plus très bien sur quel versant de l'existence il se sentait pris de vertige.

— Ces tableaux sont exceptionnels. Je redoutais pour votre art, je ne le cache pas, ce confinement, cette obsession du thème de Dante et Béatrice. Mais je vois aujourd'hui de quelle passion vous l'avez nourri. Un sang d'éternité irrigue la poésie de ces toiles. Vous en êtes le créateur, mais plus le propriétaire : elles appartiennent au monde entier.

Plus bas, il ajouta :

— Votre amour même ne les possède pas.

Elizabeth et Dante Gabriel échangèrent un sourire apaisé.

— Asseyez-vous, je vous en prie, proposa Lizzie. Je vais préparer le thé.

Saisie d'une quinte de toux, elle avait prononcé ces derniers mots très vite. Intrigué, John Ruskin la regarda. Le rose qui montait aux joues d'Elizabeth la rendait plus diaphane encore, d'une fragilité presque irréelle. Il marmonna un vague acquiescement, et poursuivit son inspection des lieux.

— Et ces femmes en pleurs au bord d'une falaise ? Elles ne sont pas de vous, Dante ?

— C'est moi qui ai fait ce tableau, dit Lizzie dans un souffle.

— Comment ? Vous ? Mais je croyais que vous étiez modiste ?

Elle rougit plus encore, puis, soutenant l'éclat du regard de Ruskin :

— Oh ! la modiste est loin, désormais. Et je ne voulais pas être seulement un modèle. Alors, Dante m'a appris à dessiner, puis à peindre. Je suis loin encore de posséder une vraie maîtrise picturale, mais...

— Mais vous avez le talent le plus étonnant que j'aie jamais rencontré ! s'exclama Ruskin.

Dante Gabriel étouffa un petit rire mi-amusé mi-satisfait :

— Oui, les toiles d'Elizabeth ont d'emblée beaucoup de charme.

— Vous voulez dire que c'est bouleversant ! reprit Ruskin de plus belle. En moins de deux ans atteindre un tel pouvoir d'évocation ! Il y a bien sûr un peu de maladresse dans les postures des personnages, mais l'étincelle du génie est bien présente, et je crois m'y connaître.

— Cette toile n'est pas terminée, intervint Lizzie, un peu embarrassée par tous ces compliments venus d'un si important personnage. Je me sens fatiguée, ces derniers temps. Je commence beaucoup de choses, et n'en termine aucune.

— Etes-vous sûre de faire tout ce qu'il faut pour ce qui est de votre santé ? interrogea Ruskin, soudain très paternaliste. Votre toux de tout à l'heure ne me dit rien qui vaille. Je vous donnerais bien une lettre de recommandation pour le docteur Acland, à Oxford, le meilleur du royaume, à ma connaissance.

Un peu agacé, Rossetti l'interrompit :

— Elizabeth consulte régulièrement un médecin. Il est certain qu'elle a pris froid lors de ces absurdes séances de pose dans une baignoire. Mais Millais souhaitait qu'il en fût ainsi...

— Vous savez sans doute que je n'étais moi-même pas très favorable au projet de cette *Ophélie*. Mais je dois reconnaître que John Everett en a fait quelque chose... D'ailleurs, ce tableau lui vaut un grand succès. Mais je crois, Gabriel, que vous avez mieux que lui saisi l'essence de la mystérieuse beauté d'Elizabeth, fit Ruskin en désignant les portraits constellant l'atelier-salon.

Etonnant Ruskin. En quelques secondes, le personnage attentionné, délicat, qui s'inquiétait de la santé de Lizzie, avait disparu pour laisser place au critique. Ce dernier, sans vergogne, évoquait devant Lizzie les diverses conceptions de l'art que son image suscitait. Elizabeth avait posé la théière et les tasses sur une table basse dont les minces pieds de bois sculptés avaient un raffinement gothique. Tant bien que mal, sur des sièges de fortune ou de hasard, les trois personnages s'étaient installés à des hauteurs variées. Appliqués, Gabriel et Lizzie semblaient mimer le conformisme d'une cérémonie bien-pensante. Ruskin, quant à lui, assis sur un pouf bariolé, les pieds croisés, se voulait désinvolte.

— Rassurez-vous, je ne suis pas venu pour le seul agrément de vous faire des reproches. J'ai... J'ai un grand projet, encore assez vague, dont je voudrais vous entretenir.

Gabriel, espérant déjà l'éventualité de quelque fresque monumentale, fixa son visiteur avec des yeux brillants.

— Oui, reprit Ruskin. Une grande idée, je crois, qui vous surprendra sans doute. Voilà... Je voudrais créer une sorte d'université populaire, de collège gratuit, où tous les hommes qui le souhaiteraient pourraient venir s'initier aux arts.

Une flamme inhabituelle montait à ses joues, tandis qu'il se lançait.

— Pourquoi un forgeron ne pourrait-il apprendre la musique ? Et pourquoi un docker n'aurait-il le droit d'aimer la peinture, et de peindre lui-même ? Voilà l'injustice que je voudrais essayer d'estomper. Les gens viendraient le soir, après leur labeur. Le collège serait ouvert très tard. On y trouverait l'accueil le plus chaleureux...

— C'est une magnifique idée ! s'exclama Lizzie, qui ne put s'empêcher de faire le parallèle avec son propre destin. J'aurais pu toute ma vie ne fabriquer que des chapeaux, sans même imaginer qu'il était possible de s'exprimer véritablement, si un jour...

Ruskin la regarda avec reconnaissance...

— Oui, sans Deverell, sans Rossetti, vous n'auriez jamais peint, sans doute. Et pourtant, votre talent saute aux yeux. Qu'importe cependant, si tous les élèves n'avaient pas vos dons. Je veux faire d'eux non des peintres mais des forgerons plus heureux. Chacun ici-bas a droit à la plus haute chance de s'accomplir. Les meilleurs professeurs mettraient leur talent au service des hommes les plus modestes. C'est pourquoi j'avais pensé à vous, Dante, pour enseigner la peinture. Votre démarche artistique vous prédispose à jouer ce rôle : chez vous, la technique n'est venue qu'après l'idée, le sentiment, le désir de dire quelque chose.

Un peu abasourdi, secrètement déçu, Rossetti finit par bredouiller :

— Je... Pourquoi pas... Mais j'avoue ma surprise. Je croyais qu'avec *Les pierres de Venise*, avec votre ouvrage sur les peintures modernes, vous n'aviez plus une minute à vous. Et puis, cet intérêt pour le peuple...

Un éclair traversa les yeux de John Ruskin, d'un bleu soudain glacial :

— Ne méprisez pas trop le peuple, monsieur Rossetti. La bourgeoisie croit toujours que l'art lui appartient. Le plus souvent, elle n'y comprend rien. Croyez-moi, je connais bien ce milieu fétide, pour en faire partie moi-même. Je vous trouverai des Mac Cracken pour acheter vos toiles. Mais ce ne sont pas les Mac Cracken qui feront votre succès. Pour espérer la postérité, il vous faudra aller plus loin, rencontrer des regards plus authentiques, moins déformés par la bêtise des conventions sociales.

Et soudain radouci, avec un évident désir de s'épancher, il poursuivit :

— Et puis... J'avoue chercher un nouveau sens à l'existence, ces temps-ci. Mon mariage avec Euphemia n'est qu'une douloureuse catastrophe, il serait vain de le cacher. Il me faut autre chose...

Elizabeth et Gabriel le regardaient avec

compassion. Il faisait bon s'abandonner, dans l'amical désordre de l'atelier de Chatham Place.

— Vous savez, reprit Ruskin, les yeux brillants. Vous m'avez parlé de la solitude de Madox Brown, que je connais à peine, de la solitude de Walter Deverell. Une amitié profonde me lie à John Millais. Je vous connais moins, Dante, mais vous savez en quelle estime je tiens votre art. Quant à vous, Elizabeth, pardonnez ma hardiesse si je vous dis qu'il me semble vous avoir rencontrée depuis longtemps, déjà. Je crois que nous allons quelque part, tous ensemble. Pourquoi ne pas nous rassembler un jour, ou davantage, vivre les heures, apprendre à nous aimer, à nous connaître, partager nos tristesses, nos espoirs ? Nous ressemblons si peu à tout le monde...

Le soir tombait ; par la porte-fenêtre entrouverte, un vent d'une douceur fragile montait jusqu'à ces trois silhouettes pâles et graves. Une fumée diffuse gagnait la Tamise. Un tendre silence s'installa, une mélancolie légère... au loin, les lumières de Londres naissaient une à une, sans hâte, dans le gris-bleu de la nuit commençante.

Regarde-moi, je suis ce qui aurait pu être.
On m'appelle aussi jamais plus, trop tard, adieu.

Rossetti reposa la plume, répétant à mi-voix les deux vers qu'il venait de tracer sur la feuille blanche devant lui. Un sourire de dérision glissa sur son visage, et il leva les yeux en respirant profondément. Comme il semblait loin de tout, et de lui-même, de cette chambre si simple et délicieusement rustique où il écrivait, du jardin découpé par les petits carreaux de la fenêtre... Il passa distraitement la main sur le vase court et bombé de porcelaine blanche, à côté du papier. Emma Madox Brown y avait disposé un bouquet mauve et blanc de fleurs des champs, scabieuses et boutons d'argent, qui rappelait le mauve délicat du papier peint, le blanc cassé du dessus de lit broché, aux motifs en relief, panier de fruits, rubans entrecroisés. Un lavabo lambrissé, de lourds rideaux de velours sable, et une armoire paysanne : c'était bien là la chambre la plus charmante qu'un hôte de passage pouvait espérer, l'oasis la plus fraîche pour s'isoler un peu dans un après-midi du mois d'août. Mais Dante Gabriel n'avait guère ce don de cueillir l'instant comme il passe. Où était-il, le regard fixe, au-delà de la vitre ? A peine encore dans ce poème ébauché, un peu déjà dans le prochain portrait de Dante et Béatrice, mais surtout dans le vertige lent et doux que lui donnait le laudanum, effaçant ses maux de tête, et transformant les peines lourdes en mélancolie aérienne. La poussière dansait lentement dans le faisceau du soleil blond, et Dante flottait sur la vie, avec dans l'âme et sur les yeux ce voile infime...

Ce n'était pas une illusion, il le savait désormais. La maladie de son père cheminait en lui. Quand serait-il aveugle à son tour ? Quelle part de son œuvre resterait-elle pour toujours informulée ? Le laudanum avait pouvoir aussi de dissiper cette violente angoisse, et de la diluer dans une fièvre cotonneuse, un sommeil éveillé. Des taches claires se remirent à vivre peu à peu sous son regard : rouge profond, bleu pâle, blanc éblouissant — des marguerites naines, des phlox, des campanules, éclatant sur le vert un peu gris du gazon ras, autour des pommiers alignés, sur quelques marches plates aux pierres envahies d'herbes... Plus loin, d'autres taches bougeaient, se transformaient peu à peu en silhouettes, où le blanc dominait. Alors il perçut ces cris de convivialité tranquilles, espacés, qui n'avaient pas cessé depuis une heure, et qu'il n'entendait pas. Là-bas, tout au bout du jardin, le long du petit mur de pierre qui protégeait le potager, on jouait au croquet. Les exclamations de joie ou de dépit un peu trop affectées montaient dans l'air, effervescence claire d'un jour un peu à part, d'un jour un peu pour rien, où il fait bon s'abandonner aux couleurs, aux parfums, en oubliant dans un enclos de campagne arrondie le tranchant du destin.

Le jardin des Madox Brown semblait à mille lieues de Londres, dont il était pourtant si proche. Près de la lande d'Hampstead, le village de Church Row gardait un aspect si provincial, malgré ses eaux de source réputées. Comme beaucoup de ses voisines, la maison des Brown n'avait guère plus d'un siècle d'âge, et cependant... Dès la grille d'entrée comme effacée dans un déferlement de chèvrefeuille à l'odeur de sucre léger, on plongeait dans un déploiement de nature en liberté, comme autant d'ombres douces jetées sur les peines. Ce n'étaient que rosiers grimpants, glycine envahissant les murs, branches d'orme battant les fenêtres d'une façade estompée, blottie sous la caresse végétale. Les mauvaises herbes croissaient dans le jardin : ombellifères à l'aristocratie inattendue, le cerfeuil d'âne et la carotte sauvage s'épanouissaient en délicats massifs arachnéens, près des digitales vénéneuses. Derrière la maison, l'herbe coupée s'arrondissait en cercle autour du jeu. Le gazon du croquet en paraissait d'une perfection presque artificielle, cependant qu'au-delà les plantes les plus folles s'épanouissaient à des hauteurs extravagantes.

— Eh bien, Elizabeth ! Je crains que nous ne restions tous deux prisonniers de la cloche !

John Millais, les manches de chemise à demi remontées sur ses avant-bras pâles semblait prendre la chose avec philosophie.

Dans une longue robe légère de couleur safran, Lizzie souriait. La vivacité du jeu, l'éclat de la lumière la rendaient un peu moins diaphane. Elle laissa tomber son maillet sur le gazon, et, les coudes écartés derrière la nuque, une épingle aux lèvres, refit son chignon qui avait glissé.

— Ne vous tourmentez pas, je viens vous délivrer !

Euphemia Ruskin avait lancé ces mots avec une vigueur inhabituelle. Elle paraissait bien loin de Herne Hill, de la morosité de sa vie conjugale. Ses cheveux bruns tombaient sur ses épaules nues. Tout en blondeur vaporeuse et décolletée, elle tournoyait sur le gazon comme une collégienne insolente et gracile. Peu soucieuse de passer les arceaux qui semblaient fuir ses coups, elle papillonnait de l'ombre au grand soleil, une campanule à la bouche.

Mais le plus étonnant des joueurs était sans doute John Ruskin. Il avait gardé son gilet ; cela ne le gênait guère. Avec une précision diabolique et une passion inattendue, il menait la danse, et commençait déjà le parcours du retour — ses adversaires piétinaient à mi-chemin de la première traversée.

— Rassurez-vous ! criait-il avec une petite voix tout excitée. Je ne toucherai pas le dernier but. Je veux devenir corsaire, pour mieux vous envoyer valser aux quatre coins de ce verger. La partie ne fait que commencer !

Avec une louable assiduité, Ford Madox Brown lui opposait une honnête résistance, maintenant vaguement l'intérêt de la compétition. Quant à Millais, Lizzie et Euphemia, ils ne participaient à l'évidence que pour boire au soleil quelques douces gorgées d'une liqueur d'été transparente, impalpable, si riche cependant des arômes mêlés des fleurs, des fruits, des feuilles, de l'enivrante odeur d'herbe coupée.

Un franc sourire monta aux lèvres de Rossetti. Il était à présent sorti de sa torpeur, redevenu le compagnon disert que chacun s'étonnait à voir en lui depuis deux jours. Les Madox Brown avaient accueilli avec joie l'idée de John Ruskin, et proposé leur propriété d'Hampstead pour centre du rassemblement. A défaut de luxe, leur maison offrait à chacun la chaleur, l'intimité qui donnaient d'emblée l'impression d'avoir vécu là depuis toujours.

Dante Gabriel descendit l'escalier, tapissé des dernières toiles de Ford Madox Brown. Dans la cuisine, Emma Brown s'affairait. Rossetti s'approcha sur la pointe des pieds, pour mieux la surprendre. Emma ne l'intimidait guère. D'origine aussi modeste qu'Elizabeth, elle n'avait pas la prestance de son ancienne collègue chez Harry's. Plutôt jolie, pourtant, ses bandeaux bien tirés de cheveux sombres contrastant avec des yeux très clairs, elle avait ce menton lourd qui lui donnait, suivant le jeu de la lumière, un air un peu boudeur ou un peu triste. Elle sursauta quand Rossetti lui cacha les yeux de ses mains.

— Gabriel ! Je croyais être seule dans la maison...

— J'avoue que le croquet ne me tentait guère. Puis-je vous aider ?

— Eh bien... Pourquoi pas ? Je préparais le thé. Si vous voulez faire griller quelques toasts, la braise est encore bonne.

Rossetti s'acquitta de la tâche avec une aisance sans doute acquise dans l'auberge de Stanton. Il revint ensuite près d'Emma, l'aidant à disposer les tasses, les confituriers sur un vaste plateau argenté posé devant la fenêtre. Côte à côte, ils cessèrent un instant leurs préparatifs pour regarder les joueurs de croquet.

Un silence un peu grave tomba sur eux, comme si la scène qui s'offrait à leurs regards les glaçait, tout à coup. Au-delà de la vitre, les personnages leur semblaient lointains, détachés, les rires arrêtés dans l'espace. Arc-boutée sur son maillet, Lizzie, secouée par une quinte de toux, n'en finissait pas de reprendre souffle. Ruskin avait gagné, sans doute, et congratulait Madox Brown à grandes tapes sur l'épaule. Derrière eux, Millais donnait son bras à Euphemia sous les pommiers. Elle le quittait pour cueillir une branche de plantain d'eau, puis revenait à lui avec un abandon joyeux, une silhouette si dansante.

— Comment Ruskin peut-il rester aveugle à ce manège ? chuchota Emma, d'une voix étrange, qui parlait malgré elle.

— Si j'étais sûr qu'il soit aveugle, je crois que tout serait plus simple, murmura Dante Gabriel.

Dans l'immobilité qui les tenait, spectateurs médusés de ces destins si proches, il poursuivit :

— Quelle admirable journée d'été. Jamais, je crois, la lumière de ce jardin ne m'a paru aussi belle... Et comment penser cependant que cette fête claire n'est pas aussi la fin d'un bal, cette chaleur comme un premier signe de froid ?

Le silence retomba. Ils restaient là, conscients que leur propre destin se reflétait aussi, au-delà de la vitre. Appliqués, les acteurs mimaient la joie, la vie, le désir d'être ensemble. Ils bougeaient bien, ils étaient beaux, mais leur désir de croire dans

l'instant semblait si dérisoire. Enfants de la tristesse nageant à contre-courant dans le bonheur,
on les voyait soudain perdre pied, s'essouffler ;
autour de leur image arrêtée dans l'été, l'arche de
la glycine ne pouvait rien changer.

Fraîcheur de cette matinée d'été. Sur la table de pierre, quelques prunes mordorées, couvertes de rosée. Le soleil est déjà couleur d'ambre, mais il fait presque froid, dans le silence mouillé du jardin. Au-dessus de la table, les branches du mûrier font une tonnelle naturelle : feuilles vert pâle, douces au toucher — on en cueille une sans savoir pourquoi, on la chiffonne dans sa main. Cette heure de lisière est à cueillir ainsi, en gestes inutiles Il est huit heures à peine, le petit déjeuner est prêt depuis longtemps ; il semble que les invités n'en finissent pas de se lever. Ford Madox Brown regarde ce jardin qui est le sien, s'émerveille de ce décor dont il ne profite guère, à l'ordinaire. A cette heure, il devrait déjà travailler à son grand projet, *The Last of England,* une toile désespérée, dont le sujet traduit sa profonde solitude intérieure : sur le pont d'un navire, le regard farouche au milieu des embruns, un homme et sa femme s'exilent — derrière eux, les dernières falaises de l'Angleterre.

Mais depuis trois jours, Madox Brown n'est plus Madox Brown, et personne n'est plus personne, dans cette île de quelques jours flottant au milieu des années, des destins arrêtés. D'un pas nonchalant, Brown longe l'allée des pommiers, regarde longuement cette goutte de rosée en équilibre au bord de la corolle d'un liseron blanc veiné de rose pâle. Comme la vie est simple, et loin de lui cette mélancolie qui ne le quitte pas depuis dix ans !

Hier soir, Walter Deverell les a rejoints. Euphemia Ruskin était au piano. John Millais, debout à ses côtés, tournait les pages de la partition. L'impromptu de Schubert est resté en suspens ; chacun a retenu son souffle en découvrant ce demi-spectre aux joues creuses, à la barbe folle, aux yeux brillants. Depuis un an, Deverell se cachait, dissimulant, bien plus que sa déchéance physique, son incapacité de peindre aussi haut que ses rêves. Mais il était venu, comme les autres ; comme si tous avaient senti que quelque chose de grave et de très tendre devait s'inventer là, en cette fin d'été, dans le jardin sauvage et doux d'Hampstead. Sous les pommiers, l'herbe haute est trempée de rosée, mais Madox Brown semble l'ignorer. Il s'approche d'un buisson de groseilliers, et cueille une poignée de baies vermeilles ; c'est bon de mélanger dans le petit matin l'acidité rafraîchissante des groseilles et la lumière gorgée d'ambre d'un été sucré, aux ombres déjà finissantes.

Voilà ; les invités s'ébrouent enfin, les Ruskin, Millais, Elizabeth et Dante Gabriel, Deverell, Emma ; les femmes en blanc, les hommes sombres s'interpellent en riant, devant le chèvrefeuille. Madox Brown recule un peu l'instant de les saluer à son tour, les laisse s'approcher de la table de pierre. Quel tableau à saisir ! C'est tout un mouvement de l'art et tout un mouvement de l'âme rassemblés. Chacun y a sa place, du modèle au critique, du peintre méconnu à celui dont la société s'achète déjà le talent. Il y a les forts, les inflexibles, à l'amorce d'un long chemin. Il y a les perdants, fiancés de la mort, déjà si pâles dans la douceur trompeuse du matin. Lesquels ont davantage de talent, d'espoir ou de tristesse pour goûter ces prunes trempées de rosée, pour boire la fraîcheur et l'immortalité de l'instant pur ?

Mais cette réunion n'a qu'une perfection abstraite, et Brown le sait trop. Dans le silence ils sont ensemble, se laissent dériver au fil de l'eau d'été. Mais dès que les paroles viennent, une tension renaît, le besoin inconscient d'aborder par le biais des questions les plus insignifiantes des terres d'ombre et de malaise, et ces frontières tristes qui séparent malgré soi. Dans la claire rumeur des tasses entrechoquées, des moqueries légères, c'est Euphemia qui lance tout à coup :

— A propos, Emma ! Pourquoi n'avons-nous

vu ni Cathy ni Lucy ? J'aurais tant aimé rencontrer des enfants dans cette fête...

— Vous avez vu Cathy, affirme Madox Brown en s'approchant. Oui, c'est elle l'enfant blonde esquissée sur le pont du navire, dans mon *Last of England*...

— J'ai longtemps hésité, intervint Emma. Mais j'ai craint qu'elles ne vous dérangent, et nous les avons confiées à ma cousine, qui habite non loin d'ici.

— Vous avez bigrement bien fait ! approuva John Ruskin en se versant une nouvelle tasse de thé. Je n'ai rien contre vos filles, Emma, mais je sais ce que deviennent les rencontres amicales quand on les assaisonne des piailleries, des caprices et des jalousies d'enfant.

— Et peut-on savoir quelle est votre expérience dans ce domaine, pour proférer de telles aberrations ?

La voix d'Euphemia vibrait de colère contenue, et trahissait un lourd ressentiment. Chacun dans l'assemblée en connaissait plus ou moins la nature, et Ruskin ne pouvait passer outre.

— Modérez vos transports, ma chère Effie ; n'oubliez pas que nous sommes ici les hôtes d'Emma et de Ford ! Mais puisque vous tenez à connaître en public ma pensée intime, je vous dirai tout net que, pour le véritable créateur, les enfants ne peuvent être que des parasites, des obstacles supplémentaires sur un chemin déjà semé d'embûches. Pour ma part, je ne pourrais imaginer bâtir une œuvre en leur présence.

Un silence consterné suivit cette joute oratoire, qui effaçait soudain la volupté d'être là, à boire du thé chaud sur ces bancs recourbés de bois vert pâle, protégés par la tonnelle de feuillage.

Madox Brown toussota.

— Pardonnez-moi, John, mais je ne peux m'empêcher de me sentir quelque peu concerné par vos dernières paroles. En ce qui me concerne, j'affirme que la naissance de Cathy, loin de me détourner de l'art, m'a insufflé un grand courage. Jamais je n'ai créé autant, et...

— Je vous comprends tout à fait ! s'exclama Millais.

Les regards étonnés se détournèrent vers ce dernier, qui rougit brusquement.

— Oui, je sais... Je suis très jeune, encore célibataire. Mais l'idée d'avoir des enfants ne me paraît pas du tout contradictoire avec les buts de l'art. Je crois au contraire qu'il doit y avoir dans la paternité un accomplissement, une plénitude très salutaires pour l'artiste. Il n'est que de voir la dernière œuvre de notre ami Brown. *The Last of England* est magnifique...

— Sottises, coupa Ruskin en tapant du bout de sa canne contre le bord de la table.

Chacun semblait effaré de sa violence et de son incorrection, mais le sujet abordé avait chassé en lui toute idée de respect humain.

— Oui, sottises ! L'art est par lui-même un enfantement. Le créateur, s'il veut l'être vraiment, doit devenir à la fois l'homme, la femme, et l'enfance. J'ai dit l'enfance, appuya-t-il, en faisant glisser sur l'assistance son regard de glacier menaçant. L'enfance, et non l'enfant. L'enfance, ce pouvoir miraculeux de fondre les sensations, de ne rien séparer, de devenir les choses et de supprimer les frontières. Comme dans le principe divin, il y a chez l'artiste ce mystère d'une trinité, qui fait sa force et son déchirement. Un homme qui se sent père, regarde avec satisfaction croître en lui l'idée de la paternité, efface nécessairement en lui la femme, l'enfance, et son pouvoir de bouleverser le monde, de réinventer l'univers.

Tremblant de colère, essoufflé, Ruskin se tut enfin. Le soleil à présent avait glissé sous le mûrier. Mais qui regardait les reflets du ciel bleu pâle, le verger arrondi sur le ventre de la théière, la lumineuse vibration de la marmelade d'oranges, dans le confiturier de cristal ? Toute idée de douceur avait fondu. Le chahut des oiseaux paraissait ironique, incongru.

— Et vous, Dante, quelle est votre pensée ? interrogea Emma, espérant que Rossetti dissiperait l'orage une fois encore, par quelque plaisanterie désinvolte. Mais l'affable Dante Gabriel des trois jours écoulés s'était enfui, soudain. La voix sourde, cherchant ses mots, il se lança :

— Pardonnez-moi, ma chère Emma, mais j'ai

peur de ne partager aucune des thèses que je viens d'entendre. Pour moi, l'artiste n'existe pas sans l'amour. Un amour impossible souvent, comme celui de Dante cherchant dans l'au-delà sa Béatrice. Mais, même quand les amants sont réunis...

Il détourna son visage, pour esquiver le regard brillant qu'Elizabeth posait sur lui, buvant ses mots.

— Même quand les amants sont réunis, s'ils ont l'art pour chemin, ils ne doivent pas je crois se dissoudre dans l'enfance, la création d'un être différent, mais se chercher infiniment dans le regard de l'autre, aller toujours plus loin vers le secret de ce miroir. L'artiste ne cherche pas le bonheur d'un épanouissement terrestre, mais reste au bord de la fontaine, sans étancher jamais sa soif d'image et de secret.

— La formule est superbe, mais l'idée bien égoïste ! ne put s'empêcher de s'exclamer Walter Deverell d'une voix altérée.

Elizabeth Siddal frissonna en l'entendant. Oui, elle le savait, c'est Deverell qui l'aimait vraiment pour elle-même. Mais elle avait abandonné cette part de son âme qu'il avait tenue, pour suivre un rêve un peu plus sombre, qui la fascinait. Aujourd'hui, le même mal qui emportait Walter avait commencé de couler dans ses veines. Ils étaient comme frère et sœur : Elizabeth éprouvait dans son corps la détresse de Deverell, aux portes de la mort. Mais elle ne pouvait avoir pour lui qu'une tendresse de pitié, sans la témoigner d'un seul geste.

Euphemia Ruskin s'était levée, furieuse. Comme elle était jolie dans la colère, avec cette blanche robe d'été dont le décolleté mettait en valeur ses épaules parfaites ! Mais John Millais lui-même ne la regardait plus ainsi. La simple discussion d'idées en était arrivée à ce désolant point de rupture où tout semble balayé sans recours.

— Oui, il s'agit bien là d'un furieux égoïsme ; je suis payée pour le connaître. Ainsi Messieurs, fit-elle en se tournant tour à tour vers Rossetti puis John Ruskin, l'artiste peut, pour les grands besoins de son *œuvre* s'encombrer d'une compagne, dont le rôle sera, suivant son goût, celui d'un modèle silencieux ou d'une institution sociale dépourvue de fondement. Mais, pour vous, cette femme n'est au mieux qu'un précieux réceptacle du génie. Eh bien, détrompez-vous. Tous vos discours ne sont que de fumeuses constructions de l'esprit, qui cachent mal les malaises qui vous rongent. Il y a, il y aura toujours des artistes qui sont aussi des hommes, et savent apporter à la femme qu'ils aiment autre chose que sa propre négation !

— Donner l'éternité n'est donc rien, à vos yeux ? fit Rossetti d'un ton cinglant.

Mais Euphemia n'écoutait plus. Elle courait cacher sa colère tout au fond du jardin, dans l'abandon des herbes folles. Sa robe dansait dans la lumière neuve, et tout était cassé. L'odeur du chèvrefeuille planait sur le groupe attristé comme le signe du bonheur insaisissable, dont la saveur s'efface avant qu'on ait cru la saisir. Sur la table de pierre, personne n'avait su goûter les prunes mordorées, intactes, oubliées.

2 SEPTEMBRE 1852

Hampstead
Dante Gabriel Rossetti
à Elizabeth Siddal

Ma Sid,
La maison des Brown a bien changé, en quelques jours. Les amis s'en sont allés, et les enfants sont revenus. Peut-être y a-t-il là comme un symbole ? Ce matin, la petite Cathy buvait son chocolat sur mes genoux en me tirant la barbe, et je me sentais loin de mes phrases sentencieuses sur l'enfance...
Et toi ? C'est vrai, j'ai préféré que tu reviennes seule à Londres. Je me sentais si sombre, si loin de ce que je veux être à tes yeux. As-tu consulté le docteur William ? Emma m'interroge chaque jour à ce sujet. La sollicitude des Brown à ton égard me semble quelquefois très insistante, mais ils t'aiment tant. Et moi... Je t'aime plus encore quand tu es loin, je crois.
Je t'écris dans la petite chambre. Il pleut doucement sur le jardin. Quelques notes de piano maladroites montent dans la maison. C'est Emma qui déchiffre à

la main droite l'impromptu de Schubert qu'Euphemia Ruskin nous jouait l'autre jour. Etrange, cette nostalgie qui se glisse dans chaque note de piano. Plus encore quand elles s'égrènent lentement, comme aujourd'hui. Les fausses notes sont moins agaçantes que douloureuses, et semblent réveiller tout un passé perdu, les gestes manqués, les paroles qu'on n'a pas su dire. La virtuosité d'Effie me touchait infiniment moins, l'autre soir, que ces tâtonnements d'Emma sur le clavier. Peut-être le désir de la musique est-il plus émouvant que la technique consommée ? Peut-être aussi ces notes un peu fragiles s'accordent-elles à mon âme du jour.

Il fait septembre en moi, et le jardin d'été s'est refermé sous la pluie lente. Je ne souhaite rien que l'automne. Que reviennent à nous ces couleurs des Cotswolds ! C'était il y a un an à peine... Nos premiers jours avaient déjà cette nuance blonde vénitienne, cette rousseur de tes cheveux que la campagne semblait refléter. Déjà nous aimions bien que tout, très doucement, commence de finir ; que l'idée du bonheur se mêle à la mélancolie légère de le laisser s'échapper de nos mains. La pluie tombait sur les Cotswolds, et nous sentions monter en nous cette saison si douce où s'endort l'espérance, où les désirs ne blessent plus. Sous nos pas, l'herbe et la boue devenaient sol de cathédrale ; cette église intérieure aux couleurs d'or et de châtaigne gardait dans son silence les mots que nous ne disions pas.

Un an, Lizzie, et l'automne revient, notre saison,

nos couleurs, nos silences. Un an mais cette année entière a-t-elle vu d'autres saisons ? Quand je regarde en arrière, je vois sur tous les jours passés comme un long voile d'ambre déployé. Tristesse de voir mes parents vieillir, mon père aveugle, ma sœur désespérée. Tristesse de savoir Deverell aux portes du tombeau, nos rêves de jeunesse consumés. Tristesse, après tant de tableaux, d'avoir perdu le goût de peindre, de ne pouvoir traduire qu'avec des mots et des poèmes sans couleurs toutes les pensées qui me viennent. Tristesse enfin de l'amitié déchirée dans cette maison d'Hampstead, où je reste je ne sais trop pourquoi, guetteur mélancolique, dans le décor de la fête manquée.

Tristesses, oui, mais l'automne, ce fut aussi cette lumière étrange et douce où tu as noyé tous mes rêves de l'année. Automne du passé, des saisons mortes et du temps arrêté, au secret de ton regard pâle. Automne, ce matin, avec ce mot septembre, qui lui va si bien. C'est le meilleur de nous qui se réveille. Quelques notes de piano à la fois aigrelettes et étouffées montent ; chaque goutte de pluie s'habille de leur nostalgie, sur les carreaux de la fenêtre, devant moi.

Je t'aime, mon automne, nous commençons à peine de finir ensemble.

Dante

Hastings est solitaire, au sortir de l'hiver. Les volets des hôtels restent fermés. Les rares promeneurs se réchauffent en marchant vite contre le vent froid. C'est l'heure oubliée de la matinée. Il est au moins onze heures, et peut-être midi, mais le temps n'a pas d'importance. Comme chaque jour, Elizabeth retrouve l'estacade, et marche vers la mer. Un long châle de laine vert amande l'enveloppe. De son chignon, quelques mèches s'échappent ; sous le ciel gris, la pâleur de son teint est saisissante. Elle renverse la tête en arrière, comme pour boire avec volupté la bruine et les embruns mêlés. Elle aime cet endroit que l'été doit animer d'une fièvre chaleureuse, et que l'hiver déserte.

L'estacade : un immense insecte de piliers entrecroisés, un entrelacs de poutres frêles, avançant dans la mer pour les pas inutiles, programmés, des estivants blasés. Un endroit de plaisir. Tout est peint de blanc frais. Au milieu du large couloir de planches, des restaurants, des salles de jeu se succèdent, avec de longues pièces pour danser, sous des lustres de pacotille. Loin du sable et du sel, le bourgeois londonien éprouve là quelques secondes la sauvagerie du vent, la beauté du panorama, puis revient à des jeux d'argent, de femmes et d'alcool. Mais rien n'a davantage de mystère qu'un lieu de plaisir sans plaisir. En longeant les hautes fenêtres ogivées, Elizabeth regarde en souriant ce silencieux théâtre aux fastes retombés : tables empilées, désert des parquets allongés jusqu'au piano fermé, près d'une plante verte dérisoire. Le décor a quelque chose de magique, quand la comédie s'est estompée. Entre le spectacle passé, le spectacle à venir, les acteurs les plus faibles ont le talent de la mélancolie, de l'espérance — leur ombre n'est jamais vulgaire, leurs souvenirs jouent toujours juste.

Elizabeth se sent infiniment plus vieille que ses dix-neuf ans. Elle a sur ses minces épaules le poids des siècles écoulés, tous les secrets de Béatrice, toute la folie d'Ophélie, glacée dans l'eau dormante. Elle a, comme un mirage, sa propre vie amenuisée, lointaine. On l'appelait Elizabeth Siddal, sous la suspension d'opaline, chez Harry's, et ce nom même semble à présent lui échapper. Qui est Elizabeth Siddal ? Elle avance sur l'estacade, et le vent est plus fort. Les mains posées sur la rambarde, tout au bout de la promenade, elle laisse derrière elle les salles de plaisir, et cette idée d'une rumeur ancienne. Devant, il n'y a que le gris de la mer sous un ciel sourd. Avant de venir àHastings, elle n'avait jamais vu la mer. La Manche est aussi belle et triste que dans le tableau de Madox Brown. Au loin, vers Lighthouse ou Winchelsea, les falaises ont la même aveuglante austérité. Cet espace infini, mais étouffé, ce ciel marié à l'eau dans une douce opacité, sans déchirure, sans espoir : Elizabeth n'en demande pas plus. Le gris lui semble le miroir de son âme blessée, et la mélancolie est douce à boire, dans ces embruns qui fouettent le visage. La solitude est un pays dont elle connaît l'étrange volupté. Elle est si fatiguée ; le bonheur ne la tente plus.

Quand Rossetti l'a accompagnée à Hastings, la joie a duré quelques jours. Il était si heureux de cette maison que Barbara Smith leur avait procurée. Au 5 High Street, leur logeuse, Mme Elphick, les avait accueillis avec un enthousiasme envahissant. Le soir même de leur arrivée, elle les avait invités pour la veillée. Toutes ces histoires de revenants, d'escaliers dérobés, de passages secrets qu'elle avait racontées au sujet de sa propre demeure ravissaient Rossetti. D'humeur charmante, Dante Gabriel avait réveillé Elizabeth à l'aube, le lendemain, pour voir le soleil se lever sur la mer. Rajeuni de dix ans, il avait couru comme un gamin dans la frange des vagues. Avec sa canne, il avait dessiné la silhouette d'Elizabeth sur le sable de la plage. Immobile, debout, comme perdue dans sa propre image, elle le regardait virevolter autour d'elle.

Quatre journées tour à tour tendres et folles avaient suivi. Dante avait fait tant de croquis, d'esquisses de Lizzie, et ce portrait en pied devant une fenêtre, où elle semblait comme en extase. Et puis... Et puis il s'était assombri, comme toujours, quand les journées tendaient autour de lui la toile d'araignée des habitudes infimes, transparentes. Avec le laudanum étaient revenues ces mornes hébétudes, ces prostrations qu'Elizabeth connaissait trop. Alors, le rendez-vous, l'insatiable Mac Cracken exigeant son tableau, tous ces mensonges maladroits pour revenir à Londres, abandonner Lizzie au gris d'Hastings, à cet air marin qui devait lui faire tant de bien.

Un pâle sourire monte aux lèvres d'Elizabeth. Oui, l'air d'Hastings lui fait du bien... Un bien qui ne ressemble guère à celui que voulait le docteur Williams. Un bien comme un sommeil, auquel on s'abandonne sans espérer rien du réveil. C'est un léger grésil qui danse maintenant sur l'estacade. Lizzie ne bouge pas. Ses lèvres s'ouvrent en murmurant le poème qu'elle a commencé presque malgré elle, ce matin :

> *Je ne peux te donner l'amour*
> *Depuis si longtemps donné*
> *L'amour qui m'a abattue et terrassée*
> *Dans la neige aveuglante*

A qui parlent ces mots, qui naissent sans effort ? Les visages de Deverell, de Rossetti se brouillent dans la pluie oblique. Ils se dissolvent peu à peu dans une lassitude extrême. Lizzie n'a plus de force et de pitié que pour sa propre image. Il est beaucoup trop tard. Qu'importe si son châle détrempé lui glace les épaules. Une ivresse plus haute que la vie la fait frissonner d'un étonnant plaisir. Debout, offerte au vent glacé, elle retrouve avec délice la folie d'Ophélie. Son corps se livre à tous les gris de l'eau, du ciel, qui l'assaillent de leur sensualité sauvage. Son âme s'est couchée dans une neige ancienne. Il reste ce plaisir de mort, pour l'apparence de son corps, fiché au bout de l'estacade.

Brunswick Street. La rue était lugubre, dans le brouillard poisseux qui semblait sourdre des pavés, des murs tout imbibés de suie, entre les halos dilués des réverbères. On l'avait surnommé « La rue du Tigre », et Rossetti savait qu'elle devait ce nom à tous les criminels qui s'y croisaient dans l'ombre. Au plus caché de la zone portuaire, c'était comme un enfer de Londres où la prostitution vivait sous la menace, où l'ombre du couteau planait sur le désir.

— Pourquoi m'emmènes-tu ici ?

La voix avait cette douce gravité qui troublait Dante Gabriel. Elle trahissait moins d'inquiétude que de curiosité. La fille était superbe. C'est elle qui avait abordé Dante, dans le promenoir de la Laurent dancing Academy. Rossetti s'était retourné. D'emblée, il avait reconnu en elle tout ce qu'il cherchait, ce soir-là. Le visage à lui seul trahissait cette sensualité que le corps nonchalant confirmait sans équivoque. De grands yeux bleus, dont l'insolente franchise frôlait la perversion. Une bouche comme un fruit lourd, de longs cheveux bouclés, d'une opulence provocante. De longs cheveux dont le blond-roux rappelait ceux d'Elizabeth, mais leur texture en faisait l'opposé : ce n'était plus l'aura d'une beauté martyre, mais comme une parure végétale qui appelait l'exaspération de caresses lancinantes.

Il n'y avait pas de hasard. Aussi rapidement qu'il avait vu dans Lizzie le meilleur de son âme, Dante Gabriel avait reconnu la face cachée de ses rêves. Fanny. La sonorité même de son prénom avait cette amertume voluptueuse que Dante Gabriel cherchait sans le savoir. Il voulait *une* prostituée, *une* fille d'un soir pour un message indéfini, une étreinte anonyme. Mais il avait frissonné malgré lui, car il avait trouvé Fanny.

— Pourquoi m'emmènes-tu ici ? répéta-t-elle calmement.

— C'est ici que je te veux. Tout au fond de la ville.

Fanny Cornforth ébaucha un sourire, et reprit son silence. Elle savait qui était Dante Gabriel Rossetti. A la Laurent dancing Academy, elle avait vu déambuler plus d'une fois dans l'obscurité du fumoir ce passant sombre, au regard insistant. Elle avait recueilli auprès de Mme Smith quelques confidences flatteuses sur sa notoriété, quelques confidences inquiétantes sur ses bizarreries. Le personnage l'intriguait, mais aussi ce désir de tendresse qu'il faisait naître en elle, pourquoi ?

Elle se laissa pousser dans un bouge puant l'opium. La logeuse, une fillette à ses pieds, fumait la pipe en se chauffant devant un feu qui étirait jusqu'au plafond l'ombre impressionnante de sa silhouette osseuse. Sans un mot, elle saisit les cinq shillings que Dante lui tendait, puis les précéda jusqu'à l'étage. La chambre, plus vaste et moins sordide que Fanny ne l'eût imaginée, était meublée d'un vieux lit à colonnes aux rideaux de chintz d'un vert pâli par les années. Deux cheminées, l'une décorée de faïence grossière, l'autre surmontée d'un miroir en bois de rose. La vieille ranima les foyers, puis s'éclipsa.

Fanny laissa glisser sa pèlerine, puis défit cette robe moirée bleu sombre, au plissé presque sage. Encore habillé, accoudé sur le lit, Dante Gabriel la regardait. A contre-jour devant les flammes, Fanny révélait sans hâte le corps le plus parfait que Rossetti ait jamais vu. Dans les passades amoureuses qu'il venait cacher au plus noir de Londres, il aimait dominer le jeu, avec une ironie souvent blessante. Il tenta quelques phrases sarcastiques, mais une boule lui nouait la gorge, lui intimant le silence. Une gêne désarmante l'envahissait...

Fanny s'approcha, effleurant de ses tempes les lèvres de Gabriel, et d'une main lui ôtant patiemment ses vêtements. D'abord surpris, puis

emporté par une vague étrange, un plaisir différent, Dante Gabriel se laissa faire. Le langage des
corps ne peut mentir dans le silence. Fanny
Cornforth lui fit l'amour longtemps sur une terre
douce, loin de Brunswick Street. Il croyait au duel
que se livrent l'âme et le corps. Il connaissait
l'amour combat ; Fanny lui apprit ce soir-là
l'amour langage. D'abord infiniment docile, il se
fit conquérant, mais la conquête fut comme un
plongeon dans l'eau profonde. Fanny abandonnée menait l'abandon à sa guise, et Dante l'acceptait. Il croyait revenir en enfance, et tout se
confondait. Les caresses les plus audacieuses ne
semblaient plus un chemin vers l'enfer, mais la
révélation d'une confiance tendre et chaude.
Quel bonheur, et quel trouble, dans son âme stu-
péfaite ! Car c'était bien de l'âme qu'il s'agissait,
d'une clarté nouvelle — la forêt du désir ouvrait
un cercle de lumière, au bout de cette allée que
Fanny inventait. La générosité même du corps de
Fanny disait cet épanouissement, tandis qu'au-
delà du plaisir leurs gestes peu à peu s'alentis-
saient.

Après l'amour, Dante éprouvait d'ordinaire
une tristesse amère : la rançon du péché, avec la
certitude presque rassurante de l'avoir commis.
Alors il payait son plaisir et fuyait au plus vite,
marchait longtemps dans le brouillard du port.
Mais la tristesse ne vint pas. Après l'amour, ce fut
encore l'amour ; la fatigue devint bateau pour un

voyage plein de souvenirs et de silence. Lové contre l'épaule de Fanny, Dante se laissait encercler, protéger, tenir à l'enclos. Au pays de ce corps, plus rien ne comptait plus. Des sources fraîches demeuraient, par-delà la langueur, et le temps s'arrêtait. Le plaisir changeait d'espace, prenait l'ampleur, la gravité plus sourde du bonheur.

Dante eût préféré s'abolir pour toujours, à cet instant. Quel désarroi, de s'arracher ensuite à cette île parfaite, de retrouver l'écoulement du jour ! Ils se rhabillèrent lentement, méticuleusement. Fanny n'en finissait pas de peigner ses cheveux, le visage incliné. Dante Gabriel semblait plus sombre que jamais. Un malaise impalpable montait en lui, car il sentait ce que ces heures avaient d'irrémédiable. Pourquoi, soudain, cette idée du bonheur, dont il n'avait que faire ? Tout était presque simple, avant. Il y avait le bien, le mal, la perfection virginale de sa sœur Christina, et ces putains qu'il raccrochait dans Windmill Street. Entre les deux, Elizabeth Siddal était une frontière. La pureté de son visage, de son corps, s'ouvrait sur une sensualité d'autant plus prenante qu'elle restait virtuelle, inaltérée. Elle brûlait comme la neige. Dans ce mystère prolongé, dans cet angélisme équivoque, Rossetti tutoyait les abîmes. Cette lisière incertaine le fascinait, car il croyait autant que Dante à la réalité de l'enfer et du paradis. Et voilà qu'une prostituée venait allumer d'étranges lueurs sur la pente sombre de son âme. Tout semblait dériver soudain ; au fond de la sensualité naissaient des images si claires qu'il en restait anéanti, ébloui et perdu. Il voulut dissiper ce malaise en glissant ses shillings dans la main de Fanny. Mais elle arrêta son geste avec une désinvolture presque humiliante :

— Non, ce n'est pas cela, dit-elle, et tu le sais autant que moi.

Alors une obsession le traversa soudain. Avec une autorité reconquise il saisit Fanny par la manche, l'entraîna dans la nuit noyée de brume sale. Sur le trottoir désert, il héla une voiture qui passait. Ils quittèrent la rue du Tigre et ses miasmes protecteurs, ses peurs faciles. Chatham Place : c'est bien la direction que Dante Gabriel avait donnée au cocher. Après avoir voulu le corps de Fanny dans l'obscurité rassurante de Brunswick Street, il voulait son image dans Chatham Place, ce sanctuaire de l'art, de l'amour sublimé.

Dominateur, Rossetti fit pénétrer Fanny dans le temple sombre qui s'éclaira bientôt d'un chandelier presque orangé contre la nuit bleue des fenêtres. Il se sentait à nouveau maître du jeu, qui semblait lui échapper depuis des heures. Interdite, Fanny contemplait l'incroyable désordre.

— Comme elle est belle ! s'exclama-t-elle devant un portrait d'Elizabeth, approchant la main du visage de Lizzie. Mais Dante saisit brutalement le bras de Fanny.

— Oui, belle, infiniment plus belle et plus haute que toi...

La voix de Rossetti était fêlée, presque inaudible.

— Pourtant c'est toi que j'aime ce soir, toi qui dois profaner son image.

Frissonnant à l'idée de cette perversion retrouvée qui le ramenait à lui-même, il conduisit Fanny devant le miroir aux feuilles d'acanthe.

— Regarde-toi ! Ce miroir est celui où je l'ai fait plonger dans son propre reflet. Je veux que l'eau de ce miroir devienne trouble ; je veux y boire l'image de ton plaisir.

Et c'est lui, cette fois, qui dénuda Fanny, dans la lumière orange et bleue, bravant par le vertige de l'instant l'éternité si proche des portraits de Béatrice-Elizabeth. C'est lui qui ramena les gestes de l'amour vers un plaisir coup de couteau que suivrait la blessure d'une longue tristesse. Et Fanny longuement se regarda, buvant l'alcool d'oubli, une flamme nouvelle au fond de ses yeux pâles.

Collines douces à l'horizon, comme des vagues ourlant l'espace. Herbages abandonnés, livrés à la houle profonde d'un vent éternel qui chasse les mêmes nuages déchirés, déchiquetés, meurtris ; blessure refermée de ce ciel de juin qui n'atteindra jamais l'été. Des taches sombres glissent sur le vert de l'herbe ; le reflet des nuages donne le vertige, et semble progresser plus vite que le ciel, avant de s'engloutir, comme aspiré par un gouffre inconnu, quelque part au-delà de la dernière courbe. En bas, la terre a tous les verts éteints, tous les verts pâles d'une campagne endormie, pour atténuer le drame ostentatoire du ciel gris aveuglant, gris sombre ou presque blanc.

La voiture traversa le petit village d'Aberfoyle endormi dans le début d'après-midi. Un rideau soulevé, deux vieilles sur un pas de porte. Puis la pluie redoubla, les maisons s'effacèrent. John Millais respira profondément, heureux de retrouver soudain la vigueur sauvage des Highlands.

Aberfoyle était bien la frontière. Après, tout devenait plus âpre et plus secret : l'Ecosse commençait. Les chevaux s'engagèrent dans la forêt d'Achray. Bonheur de s'éloigner. S'en aller vers le nord, vers une Ecosse au fond de soi ; partir à l'envers de l'été, vers la pluie et le froid, vers le gris des rochers, vers toutes les nuances sombres des arbres gorgés d'eau, des mousses, des lichens. Fuir les fumées nouvelles qui s'installaient autour de Londres ou de Glasgow, écharpes infernales de la stupide industrie. Et tant mieux si la pluie tambourinait sur la capote de la voiture. La pluie des Highlands éveillait toutes les odeurs fauves du sous-bois, tout le passé de ces taillis qui avaient vu tant de mystères. La voie tracée par le duc de Montrose au cœur de la forêt d'Achray traversait le décor du *Rob Roy* de Walter Scott. Millais retrouvait là comme une ivresse enfantine, cette fièvre de lecture dont il avait perdu le pouvoir. La solitude du voyage abolissait les ans. Tout semblait possible à nouveau ; toutes les peurs et les dangers, toutes les menaces — la délicieuse frayeur des forêts de l'imaginaire. A ses côtés, son frère William dormait comme une souche, insensible aux cahots de leur instable équipage.

La piste montait à présent entre les pins, dans une obscurité prenante. Sur le sol tiède, détrempé, montaient des nuages de brume, parfois effilochés au long de la route, et plus souvent nichés dans le creux des chambres d'amour, ces

petites clairières dispersées au cœur du sous-bois.
Peu à peu, les pensées de John Everett dérivèrent
comme ces nuages indécis. Des terreurs enfan-
tines, il glissa vers d'autres peurs qui le guettaient,
là-bas, tout près...

La forêt traversée, il se retrouverait à Brig
O'Turk, déjà, dans le cottage que les Ruskin
avaient loué pour l'été. Il éprouvait des sentiments mêlés à revenir ainsi dans l'intimité de
l'étrange couple formé par John et Euphemia.
Depuis Hampstead, leur séparation semblait
irrémédiable. Mais John Ruskin, dans un silence
hautain, sauvait les apparences. Il avait presque
contraint Millais à peindre Euphemia dans *The
Order of Release,* au début du printemps. L'idée
même du tableau était assez ambiguë : une
femme portant un enfant tend à un geôlier un
ordre de libération. Le mari, dans un geste d'une
intense émotion, cache son visage en pleurant
contre l'épaule de son épouse. Mais le visage de
la femme reste indéchiffrable. De quelle liberté
s'agissait-il exactement ? Millais s'était posé plus
d'une fois la question, pendant les séances de
pose à Herne Hill. Ruskin le laissait seul avec
Effie, puis revenait à l'improviste, le plus brusquement possible, et comme s'amusant à jouer
sur tous les tons de la complaisance et de la jalousie. Effie supportait de plus en plus mal cette
tyrannie perverse, ponctuée de phrases douces-
amères, dont l'ironie l'exaspérait. John Everett,

quant à lui, n'avait plus à choisir. Il aimait Euphemia. La peindre tout le jour, partager son silence lui avaient longtemps suffi. Comment lui dire son amour, pourtant, dans cette curieuse atmosphère ? Avouer ses sentiments, c'était tomber dans les filets de Ruskin. Et cependant, Ruskin aimait Millais, tenait son œuvre en haute estime... Que de roueries tempérées de maladresses, de sincérité mêlée d'hypocrisie ! Rien n'était simple. Chacun d'eux trois gardait au fond de lui un goût informulé pour cette complexité sournoise, qui les mettait d'emblée au-delà des destins ordinaires.

Ruskin avait invité pour les vacances le frère de John Everett, William : ce quatrième personnage garderait à leurs relations cette opacité, cette distance qui pourrait prolonger la confusion. John Everett jeta un regard sur son frère. Profondément endormi au fond de la banquette, ce dernier semblait tout ignorer du rôle qu'il était censé jouer, de toutes ces tensions qui l'attendaient au profond des Highlands.

La forêt s'éclaircissait. Les crosses neuves recourbées des fougères naissantes succédaient aux pins obscurs. Çà et là croissaient des digitales, calices rose-mauve languissant dans la douceur humide. Des buissons de genêt, dont le parfum sucré s'exhalait sous la pluie finissante. En contrebas le Loch Achray apparut, silencieux, métallique, avec ce gris d'éternité que Scott avait si bien su dire dans son poème *The Lady of the Lake*. La silhouette austère des Trossacks, et plus loin du Mont Ben Venue, dessinaient le cadre solennel et tragique qui convenait au lac balayé par le vent, ceinturé d'herbes hautes, blond pâle, frémissantes. Déjà, vers l'est, on pouvait apercevoir les contours plus allongés du Loch Venachar. Entre les lacs, au cœur de la montagne, le petit village de Brig O'Turk couchait ses maisons basses, apparemment désertes. John Everett réveilla son frère d'un coup de coude. Après le cimetière, il n'eut aucune peine à reconnaître au bout d'un chemin creux le cottage annoncé par les Ruskin.

Sous son manteau de vigne vierge, la maison s'allongeait comme pour se confondre, s'oublier dans le décor. Tout près du village, elle semblait loin de tout, enfoncée dans le vert âpre et le gris sourd. Une ancienne ferme, comme en témoignaient, épars autour de la bâtisse, un vieux poulailler au grillage éventré, gagné par les herbes folles, un abreuvoir moussu couvert de liseron.

La silhouette de John Ruskin paraissait saugrenue dans cet aimable désordre bucolique. Un chapeau de campagne au large rebord fatigué lui donnait une allure un peu plus détendue qu'à l'ordinaire, mais il avait conservé une redingote bien peu estivale, et sa cravate était impeccablement nouée sur son faux col. Apercevant la voiture des frères Millais, il rangea hâtivement dans sa poche le calepin sur lequel il était en train d'écrire, et alerta Euphemia d'une voix rogue. Effie sortit, penchant la tête sous la voûte basse de la porte d'entrée. Avec une lenteur concertée, comme si elle réfrénait un élan intérieur difficile à maîtriser, elle s'approcha des visiteurs.

— Quel merveilleux endroit, M. Ruskin ? s'exclama William en sautant à bas de la voiture. J'espère que vous pourrez m'indiquer des torrents poissonneux ? ajouta-t-il.

Et, se tournant vers Euphemia :

— En tout cas, plus de bile à vous faire pour la composition des menus, Mme Ruskin ! John Everett vous a sûrement dit que j'étais une des plus fines gaules de toute l'Angleterre ?

— Nous détestons le poisson, fit Ruskin avec un sourire mielleux.

Ravi de la confusion de William, dont les joues s'étaient empourprées, il reprit :

— Mais vous pourrez pêcher à votre guise, jour et nuit si vous le souhaitez.

Effie et John Everett, face à face, s'interrogeaient du regard, mesurant à l'avance l'importance des jours qui allaient suivre ; et leur gravité, leur silence, disaient que quelque chose allait devoir changer. La robe de velours vieux rose d'Euphemia, loin des tenues audacieuses qu'elle avait adoptées à Hampstead, lui donnait un air romantique et sage. Elle invita John Everett et William à pénétrer dans la maison.

Voilà. Ils entrent dans le cottage allongé, surpris de l'exiguïté des pièces. On a installé pour William un lit dans un réduit minuscule, mansardé : on y monte par une échelle. Quant à John Everett, la chambre qu'on lui a réservée est contiguë de celle d'Euphemia. Sentant le regard de Ruskin dans son dos, il se garde de rien manifester. Le maître de maison dort pour sa part dans la pièce suivante, qui sert aussi de salle de séjour et de salle à manger. Il faut se courber pour passer sous les poutres. Le sol est dallé de céramique rouge usée. Des coffres, une longue table lourde en merisier, des fenêtres à petits carreaux envahies de vigne vierge. C'est l'heure creuse de l'après-midi. Ils bougent en parlant trop fort ; ils jouent la bonhomie des séjours qui commencent. Exclamations, questions inutiles, étirements et soupirs d'aise. Quelques pas dans le jardin gagné d'herbes folles. Le thé dans la petite véranda. William a trouvé des raquettes. Dans la grange, il joue au volant avec Euphemia. Ruskin prend des notes d'un air gourmand. John Everett lui demande s'il travaille toujours aux *Pierres de Venise*, mais il répond par un grand rire, un haussement d'épaules. Le temps passe à petits coups. Chacun ressent très nettement comme une ligne de partage le moment où l'enthousiasme de William commence à sonner faux. Il force un peu le ton, mais ses plaisanteries se heurtent à la virtuosité cynique de John Ruskin, à la gêne d'Euphe-

mia. Les phrases se raréfient, les gestes s'amenuisent...

C'est le repas du soir. On a d'abord parlé de
prendre le dîner dehors, mais il fait bien trop
froid. Alors, Effie a posé les deux photophores
bombés sur la table trop longue de la salle à manger. Dans leur maigre lueur, ce premier repas a
des silences de veillée funèbre, tranchés par les
décrets de John Ruskin.

— Vous ne mangez pas, Euphemia ! L'air des
Highlands ne vous mettrait-il plus en appétit ?

Et, comme à chaque fois, conforté par le
malaise qu'il avait su provoquer, il changea d'in-
terlocuteur :

— Ah ! Mon cher John Everett ! Vous savez
que j'attends de grandes choses de votre part,
durant ce séjour.

Millais se surprit à répondre avec une insolence
toute neuve, exacerbée par la fatigue du voyage.

— Oui, je me suis laissé dire que vous étiez
décidé à faire mon instruction. Je ne me savais pas
si fruste...

— Allons, ne vous emportez pas ! Qui vous
aura dit cela ? interrogea Ruskin en glissant un œil
insistant sur Euphemia. De sottes cervelles, assu-
rément. D'ailleurs, on vous aura menti. Je n'ai
jamais prétendu que vous étiez inculte. Je pense
simplement qu'il vous serait utile de profiter de ce
séjour pour lire quelques bons textes. Shakespeare vous a inspiré Ophélie, après tout. Mais

Dante, par exemple, me semble difficile à ignorer...

— Vous souhaitez faire de moi un second Rossetti ? s'enquit Millais d'un ton amer.

— Loin de moi cette idée ! D'ailleurs, j'attends surtout de votre part ce portrait de moi que vous devez réaliser depuis si longtemps. Le décor des Highlands tempérera ce que le modèle pourrait avoir de trop austère. Croyez-vous que j'eusse demandé ce travail à Rossetti ?

— Eh bien, peut-être avez-vous craint de trop changer durant la pose ?

Un rire salutaire détendit l'atmosphère, au cœur de ce dialogue à fleurets mouchetés. Chacun connaissait le dilettantisme de Dante Gabriel, qui laissait quelquefois ses toiles en plan durant des années.

— Non, reprit Ruskin dans la petite effervescence un peu ostentatoire. Je crois simplement à votre talent. Je sais aussi qu'il est fragile, et qu'il faut le guider.

Et faisant rouler une boulette de pain entre pouce et index, avec une lenteur calculée :

— Vous pouvez être le plus grand. Mais vous ne serez jamais capable d'un chemin solitaire. En art aussi, il faut savoir choisir son partenaire, ajouta-t-il avec un sourire équivoque.

Les rires d'Effie, de William, sont devenus nerveux, contraints, reviennent en spasmes incontrôlés, puis s'étouffent tant bien que mal. Pendant un long moment, on n'entend plus que des bruits de couteau, de carafe et d'assiette. On se racle la gorge. Sans croiser le regard de son voisin, on tourne les yeux vers la fenêtre. Au-dessus de la masse noire des Trossacks, une lune blanc froid glace le ciel d'été.

De faux jours d'été passèrent, exaspérants et troubles. Millais voulut commencer le portrait de Ruskin. La toile n'était pas assez blanche. Il en fit venir une autre de Londres. Pendant ce temps, la pluie s'installa sur Brig O'Turk, une bruine infime et insidieuse. William avait sympathisé avec M. Crawley, l'instituteur du village. Tous deux partaient pêcher vers le Loch Katrine ou le Loch Venachar, et rentraient à la nuit, laissant les Ruskin et John Everett à leurs silences, à ce mélange aigre-doux d'amour et de haine qui semblait tant les exalter.

Tous trois, avec une excitation un peu puérile, se livraient à des jeux inattendus. Ils construisaient des ponts sur les torrents avec des pierres plates. Etrange image que celle d'Euphemia, pieds nus dans le Glenfilas, les jupes relevées, des perles d'eau dans les cheveux, empilant des roches que lui tendaient de leurs mains boueuses le professeur d'Oxford Ruskin, le préraphaélite

John Millais. Ils avaient des regards sourds de colère, et de curieux fous rires, une complicité pleine de méfiance et de rancœurs. Le soir, Ruskin rédigeait l'index des *Pierres de Venise*. Millais griffonnait d'instinct des motifs architecturaux, ou donnait à Effie des leçons de dessin. Un jour, Millais voulut nager dans le torrent, et se blessa dans l'eau trop peu profonde, heurtant de la tête un rocher. Le lendemain, la toile tant attendue arrivait de Londres, et la pluie s'effaçait.

Avec une bonne humeur inhabituelle, Ruskin prit la parole au petit déjeuner :

— Aujourd'hui, William, je vous demande comme une prière de bien vouloir renoncer à vos bestioles aquatiques pour nous accompagner. En effet, si la santé de votre frère le permet, nous verrons la première ébauche de ce portrait auquel je tiens tant. Les bords du Glenfilas seront le théâtre de l'événement. Nous pique-niquerons près de la cascade.

Sans enthousiasme excessif, William opina de la tête.

— Ne vous inquiétez pas pour moi, fit John Everett. Si Euphemia veut bien me faire un nouveau pansement, je ne pense pas contrarier vos projets.

— Parfait ! approuva Ruskin, rajeuni de dix ans par cette idée d'être le centre du motif pour ces regards d'un jour, et pour l'éternité peut-être.

— William, voulez-vous m'aider pendant ce temps à préparer les paniers du repas ?

Euphemia et Millais se retrouvèrent seuls dans la chambre d'Effie. Devant la coiffeuse rustique, Effie fit asseoir John Everett, et commença lentement à dévider la bande qui lui enserrait la tête. A chaque instant d'intimité, un silence plus grave montait sur eux, un silence trop lourd, si tendre, cependant, et comme accablé sous le poids d'aveux informulés. Dans le miroir incliné de la coiffeuse, Millais regardait Euphemia. Elle avait quitté sa coquetterie provocante d'Hampstead, et même ces amusants petits carrés de dentelle qu'elle avait l'habitude de piquer dans ses cheveux. Une robe toute simple de faille bleu sombre, les cheveux relevés en chignon, sans recherche excessive... Et pourtant, une profondeur nouvelle habillait tous ses gestes, et Millais ne put s'empêcher de le lui dire.

— Jamais vous n'avez été aussi belle, Euphemia. Pourquoi ? demanda-t-il avec une tendresse naïve, regrettant aussitôt cette question saugrenue.

Mais Effie ne s'esquiva pas.

— J'ai envie d'être belle, parce que j'ai envie d'être moi.

— Cela suffit-il donc ? s'étonna John.

— Je le crois, reprit sérieusement Effie. C'est... C'est une espèce de création intérieure, à la fois impalpable et presque concrète. Ces jours-ci, je sens cette beauté vivre en moi. Il me semble que je pourrais presque la toucher. C'est en même temps un profond égoïsme. Ne penser qu'à soi. Vouloir, surtout, vouloir très fort être soi-même. Une curieuse vibration palpite alors, et gagne peu à peu les lignes du visage, la tension du regard.

— Etrange, cette façon de se regarder vivre, Euphemia ! fit doucement Millais. Pourtant, depuis les séances de pose pour *The Order of Release*, j'ai vu cette alchimie se faire en vous. J'ai ressenti sur la toile cette énergie qui passait de votre corps à mon œuvre.

— Oui, je crois que c'est alors que s'est produit en moi ce changement que vous êtes peut-être le seul à voir. J'étais plutôt jolie. Je n'étais que jolie. Puis sont venues d'affectueuses compagnes de ma vie, la mélancolie, la solitude. J'étais seule, et ne servais à rien. Mon âme poursuivait une sourde existence. Alors, j'ai voulu être, simplement, que toutes ces blessures ne deviennent pas des rancœurs, mais qu'elles s'envolent quelque part, peut-être à la rencontre d'un miroir...

Et, tout bas, elle ajouta :

— Peut-être à la rencontre d'un regard.

Tout en parlant, et pour dissimuler sa gêne, elle avait soigné la plaie de Millais. Elle se tenait a présent immobile derrière lui, les deux mains posées sur le front de John Everett, et le fixant avec un mélange d'affection et presque de souffrance, dans le miroir oblong cerné de bois sombre. Millais lui prit les mains, les porta à ses lèvres, caressant de sa joue le bras d'Effie.

— Ne me touchez pas ! ordonna-t-elle en reculant. Vous savez bien quel triomphe ce serait pour lui, s'il pouvait nous surprendre ainsi ! Il n'attend que cela. Il attend le premier faux pas pour obtenir un divorce à mes torts. Ne lui donnons pas cette joie.

Puis, d'une voix altérée par sa propre audace, elle ajouta :

— Nous valons mieux que cela, John. Mieux que des caresses furtives, des pièges enfantins. Un jour, nous nous aimerons. Un jour, nous ferons l'amour, lentement, dans une grande maison blanche qui sera la nôtre. Je vis pour ce jour à venir.

Millais la regardait, les yeux brillants, ébloui. Déjà les pas de John Ruskin résonnaient dans la pièce voisine. Effie enroula en toute hâte une bande nouvelle sur le pansement de John Everett.

— Vous êtes bien pâles, tous les deux ! lança Ruskin en pénétrant dans la petite chambre. Contre quel pouvoir conspirez-vous ?

Mais il en fallait plus, décidément, pour briser sa bonne humeur du jour.

— Allons, il est temps de partir ! Mon cher Millais, je doute que vous ayez beaucoup de jours aussi cléments pour ébaucher ce fameux portrait.

L'étrange petit groupe s'ébranla bientôt, dans une campagne tout étonnée de miroiter sous un soleil déjà très chaud. A l'extrémité nord de Brig O'Turk, un sentier montait vers les sources du Glenfilas. William et John Everett, en bras de chemise, portaient la toile impeccablement blanche arrivée de Londres. John Ruskin, stoïque dans sa plus élégante redingote, convoyait les paniers du repas champêtre.

Ils s'arrêtèrent un instant. En contrebas, le Loch Achray et le Loch Venachar ont perdu cette tonalité de plomb éteint qui les vouait au désespoir, au sortilège. Tout est soudain si simple, si léger. Les eaux ne sont plus que reflets, vagues douces, transparence. La lumière est à boire, qui filtre entre les pins de la montagne, avec une suavité de miel que l'on n'attendait plus. Pourquoi l'été peut-il encore venir, quand on ne veut plus l'espérer ? Et pour qui cet espoir, cet élan, cette fraîcheur, quand tout semblait devoir finir ?

Ils montent, essoufflés, au long du torrent qui se rétrécit. Ils se tendent la main pour passer à gué sur les pierres. Leur rire sonne comme l'eau, comme le jour lui-même. Eux qui se croyaient vieux de tant de siècles ! La lumière d'été les encercle, les dissout, dans une effervescence traversée d'abeilles, avec le ruissellement de l'eau vive sur les pierres, l'éclat de fleurs minuscules nées dans la nuit. Toute l'Ecosse semble avoir déployé jour après jour son manteau vert et noir d'austérité pour mieux vibrer dans cet éclat fragile du présent.

C'est là. Ils s'arrêtent près du torrent, déploient une nappe blanche sur l'herbe luisant au soleil. Le sourire satisfait, John Ruskin pose auprès de l'eau bouillonnante pour ce portrait qui gardera à jamais son image. Il le sait. Il sait qu'un courant d'éternité irrigue déjà cette île claire de présent. Et John Millais, penché sur son ouvrage, et Euphemia, qui lit à haute voix *La Divine Comédie* pour le petit groupe apparemment rassemblé dans l'été clair, savent que quelque chose de très fort commence et finit là, savent qu'il faut choisir, et que la piste du bonheur n'est pas la plus facile. Le temps ne passe pas. Le silence s'installe. Le soleil joue sans se lasser sur l'écume du Glenfilas.

John Everett Millais
à Dante Gabriel Rossetti
et à Elizabeth Siddal

Mes amis,

La dernière visite du docteur. *Rien qu'en lisant ce titre, vous imaginez déjà, j'en suis sûr, un tableau pathétique. Un médecin embarrassé, annonçant aux membres d'une famille le proche décès d'un jeune homme qu'on aperçoit sur son lit, tout au fond de la pièce. Eh bien, ce tableau dramatique, au titre tristement prémonitoire, est celui sur lequel Deverell travaille depuis trois mois.*

Oui, notre ami Walter est tout proche de sa fin. Je n'ai pu retenir mes larmes en quittant Red Lion Square, hier soir. Depuis six mois, je n'y étais pas venu. Walter a demandé à sa femme de le quitter quelques jours, avec ses tout jeunes enfants, et d'aller chez les Brown. Il ne veut pas leur imposer le spectacle de sa déchéance. Mais saviez-vous seulement qu'il était marié ? Moi-même, je l'ignorais encore à Hampstead, l'an dernier.

J'ai trouvé Walter alité, plus ou moins rudoyé par une garde-malade anonyme et bougonne. Vous ne reconnaîtriez plus le beau désordre de Red Lion Square. Tous les tableaux ont disparu. Sur un chevalet, cette seule toile à laquelle Walter trouve la force de travailler quelques minutes chaque jour. Depuis Hampstead, il a encore maigri, et son visage n'est plus qu'un regard fébrile, noyé dans une barbe folle.

Mais il a gardé toute sa dignité, ne m'a rien reproché. Il m'a parlé de vous avec une tendresse bouleversante. Il voudrait absolument vous voir. Voilà où sont nos rêves de grandir et de créer ensemble. Je ne peux m'empêcher d'éprouver un cruel remords à cette pensée. Le meilleur d'entre nous va nous quitter. Et nous, loin des promesses d'autrefois, pour quel destin l'avons-nous donc abandonné ? Une étrange frénésie nous pousse chacun de notre côté, égoïstes, orgueilleux — mais notre folie solitaire nous entraînera-t-elle jamais aussi haut qu'à l'époque bénie des frères préraphaélites ?

Depuis Hampstead, nous ne nous sommes plus revus ; d'ailleurs, Hampstead venait déjà trop tard. Ruskin est un fou. J'ai passé quatre mois avec lui cet été en Ecosse. Je ne peux vous en dire plus long dans une lettre, mais quelque chose s'est cassé là-bas, quelque chose qui nous éloignera peut-être pour toujours.

Pourtant... Pourtant nous nous aimions ; pourtant

nous nous aimons... Nous nous heurtons, ou nous nous ignorons, mais tous nos rêves vont ensemble quelque part. Pourquoi faut-il choisir en séparant ? Je vous aime tous deux ; j'aime Ruskin, qui sera bientôt le pire de mes ennemis ; je l'aime et je le hais, et je passe mes jours à retoucher les nuances de son portrait. Nous aimons Deverell, et Deverell se meurt. Arrêtons-nous un peu sur le chemin.

Votre John Everett

Trop tard. En poussant la porte cochère de Red Lion Square, Elizabeth Siddal frissonna, glacée par l'atmosphère de la cour déserte, du large escalier en spirale qu'elle pouvait emprunter les yeux fermés. Un trop parfait silence, comme une fausse éternité, comme un arrêt du cœur. La neige avait feutré cette île refermée, si loin de la rumeur de Londres. Elle monta les marches lentement, croisant son châle devant elle. Mais déjà elle savait. Plus qu'un pressentiment, c'était, inexorable, marche à marche, cette sensation horrible d'avancer vers ce que l'on craint le plus au monde, et dont l'image tant de fois évoquée ne peut vous surprendre, mais prend le mauvais goût de trop vouloir se ressembler.

C'était bien cela. La porte familière entrebâillée, cette lueur d'une chandelle nimbant d'une tonalité cireuse et flottante les murs de la chambre, au fond du couloir. Tout le reste de l'appartement était sombre et clos, volets fermés, pas un mot, pas un souffle. Elle devina dans l'ombre le contour du chevalet, distingua sur le tableau des personnages au regard effaré. Plus que l'obscurité, les larmes brouillaient déjà son regard. Elle s'approcha encore. Walter était bien là, paisiblement étendu, comme enlevé dans un sourire de lumière. La mort lui rendait ce visage adolescent qu'elle avait croisé chez Harry's, un jour lointain. Mais une silhouette de jeune femme agenouillée se découpait devant elle, lui rappelant combien cette mort lui était étrangère.

Le parquet grinça. L'inconnue se retourna. Pétrifiée, Lizzie soutint l'éclat de ce regard qui bascula en un instant de l'interrogation vers le reproche. C'était toute une vie qui défilait soudain dans ce face à face immobile, silencieux. Les larmes séparées ne coulaient pas pour une même peine. Cela dura longtemps, bien trop longtemps pour que des mots pussent ensuite naître, mentir ou pactiser.

Alors, Elizabeth réprima un sanglot et s'enfuit tout à coup, renversant le tableau, dévalant l'escalier, puis courant par les rues jusqu'au bout de ses forces. Une longue quinte de toux l'arrêta, pantelante, effondrée, contre la vitrine d'un magasin de liqueurs. A demi inconsciente, elle vit flamboyer dans la devanture une masse indistincte de couleurs chaudes irisées par les flacons des carafes taillées. Un sourire amer monta jusqu'à ses lèvres exsangues. Ainsi, c'était la fête, un déferlement d'opulence et de plaisir. Elle frotta sa joue brûlante à la vitre glacée, dans un geste d'un désespoir presque enfantin. Mais la paroi était dure et lisse, et personne ne prêtait attention à une femme titubante. Elle se retourna, reprenant souffle longuement.

Trois ans. Trois ans depuis ce jour. La neige tombait sur Londres avec les mêmes flocons de pétales. Un inconnu l'avait regardée longuement, par la porte de l'atelier, avec un regard plein de fièvre et d'éclat, sous de longues mèches dansantes. Le soir, en sortant dans la neige, le bleu de la ville lui avait semblé très doux, pendant qu'elle répondait sans y penser aux phrases de ses camarades. L'inconnu reviendrait. Il oserait prononcer les premiers mots. Quelque chose commencerait, qui ne ressemblerait en rien à ses anciennes aventures.

Walter était venu, si poli, si timide que les compagnes de Lizzie se poussaient du coude en le regardant balbutier. Mais, tout de suite, Elizabeth avait senti en lui l'appel d'un monde différent. Avec lui, l'alternance routinière du travail et du plaisir s'effaçait devant un long silence, une haute inquiétude — la création. Elle avait quelque part au fond de son âme le pressentiment de ce pouvoir qui changeait l'univers. Pauvre Walter ! Il lui avait donné la clé du monde avant de s'effacer dans l'ombre.

Un pli amer montait aux lèvres de Lizzie.

Insensible à la foule, elle voyait renaître ces images et gémissait de regret, de remords, maudissait sa propre lâcheté. Walter l'aimait trop pour tenter de le dire. Il n'aimait pas les mots. Mais ses regards, mais ses esquisses, ses tableaux imploraient Lizzie en silence. Comme elle avait été cruelle, feignant de n'en rien voir, aveuglée par la fantasque personnalité de Dante Gabriel Rossetti ! Pourquoi avoir aimé celui qui la blessait déjà par sa violence, ses débauches ? Pourquoi avoir choisi celui qui l'effrayait ?

Mais bien sûr, elle connaissait toutes les raisons de sa folie, toutes les réponses à ces questions si douloureuses. Elle savait. Aimer, c'est aimer qui vous fuit, enclore l'idée du bonheur dans le seul être au monde qui rend le bonheur impossible. Aimer, c'est fuir celui qui vous attend, qui vous connaît et vous espère. Et puis... Aimer, pour elle, avait aussi d'autres couleurs. Walter l'avait lui-même conduite vers ces chemins de la peinture, de la poésie — mais Walter n'avait pas le talent de Rossetti. Pourquoi ? Il était tellement meilleur, tellement plus tendre, généreux, fidèle, aussi intelligent et cultivé que son ami. Mais quoi ? une infime étincelle, une impalpable poussière aérienne les séparait... Le talent...

Talent. Elle répéta ce mot à haute voix, hagarde, en reprenant sa marche, et les passants se retournaient. Le talent. Qui donnait ce pouvoir injuste, sans rapport avec le mérite, la volonté ni le désir ? Walter avait souffert dans son corps de cette maladie des bronches qui étreignait Lizzie à son tour. Elizabeth pourtant n'était pas dupe, savait pour l'avoir éprouvé comment on peut laisser la maladie cheminer à sa guise, l'inviter même à vous envahir, quand le rêve est cassé. Walter avait connu la fièvre de créer près de Dante Gabriel. Leurs chemins étaient frères. Mais il avait jour après jour décelé dans chaque toile de Rossetti cette imperfection même, cette indicible touche de lumière qui ne ressemblait à rien d'autre, et faisait son génie.

Elizabeth avait aimé Rossetti pour ce tout et ce rien, pour ce reflet qu'il donnait d'elle. Walter lui eût offert peut-être le bonheur. Rossetti leur apportait la mort. A l'heure qu'il était, Dante devait noyer son chagrin dans quelque bouge. Il n'avait pas osé le dernier face à face avec Deverell. Pourtant, Lizzie savait qu'il était triste, et qu'il le serait plus encore en apprenant que Walter était mort, que ce chagrin pouvait prendre le visage du remords — et l'habit du remords lui plairait à endosser, comme toujours. Comme toujours, il saurait s'affliger en se mortifiant ; jamais il ne pourrait se détacher de lui, aimer les autres pour eux-mêmes.

Avec quelle clarté désespérée ces idées se bousculaient dans l'âme de Lizzie ! Emportée au hasard par le fleuve des passants, elle s'était laissée dériver jusque dans Regent Street. On la dévisageait, en prenant pour une illuminée cette jeune femme si pâle aux cheveux défaits qui parlait tout haut, les mains crispées sur un vieux châle. Comme elle semblait déplacée dans le chatoiement des vitrines, dans ce déferlement de luxe et de lumière ! La ville était comme l'enfer de Dante. Rien n'allait nulle part. Par des cercles de pas absurdes on pouvait étirer le désespoir à l'infini.

Mais relever la tête, au fond de la douleur. Tandis que sous les pas le sol de neige devient sourd, sentir sur le visage en pétales légers la peine longue et douce qui s'efface et recommence, dans l'hiver de la mort aller vers Ophélie.

MAI 1854

Les marronniers d'Albany Street étaient en fleur, cierges fragiles de blancheur lancéolés de rouge, sous le soleil de l'après-midi commençante. Mais Dante Gabriel Rossetti ne les regardait pas. Le regard fermé, la mine boudeuse, il avançait à petits pas, comme s'il eût craint d'atteindre trop vite le but de ce trajet. Quelques pas en arrière, Elizabeth Siddal le suivait, plus pâle encore qu'à l'ordinaire, impressionnée par la solennité de l'entrevue si redoutée qui lui était promise. La maladie poursuivait son chemin en elle. Les pommettes saillantes, le regard inquiet et toujours embué, elle ne gardait de son éclat si lointain et si proche que ce flamboiement presque irréel de ses cheveux épars, et la pureté un peu dure du regard, avec ce port de tête presque hiératique, qui la distinguait de toutes les jeunes filles de son âge.

— Dante ! appela-t-elle en agrippant la manche de Rossetti.

Ce dernier se retourna, l'interrogeant d'un hochement de tête, et suspendant sa marche.

— Crois-tu vraiment que cette rencontre soit bien opportune ? Ton père est mort il y a moins de quinze jours. Je vais trouver ta mère et ta sœur Christina ployées de douleur, murées dans le silence. Quel accueil pourraient-elles bien me réserver ?

Gabriel leva les yeux au ciel, exaspéré.

— C'est ma mère elle-même qui a souhaité cette présentation, tu ne le sais que trop ! Curieuse idée, je te l'accorde. Mais peut-être, après tout, cette triste occasion sera-t-elle une chance de nous rapprocher, de rassembler ce qui peut l'être !

La voix de Rossetti avait pris pour cette dernière phrase le petit chantonnement caractéristique qui signalait sa mauvaise foi. Il se sentait très mal à l'aise, à l'idée de cette rencontre. Madame Rossetti avait exigé comme un éclaircissement nécessaire ce tête-à-tête difficile. Mais le monde de Chatham Place et celui d'Albany Street n'étaient guère faits pour se rencontrer. Dante Gabriel eût préféré de beaucoup que son présent et son passé restassent séparés, comme l'enfer du paradis, comme Fanny Cornforth d'Elizabeth Siddal. Son destin, décidément, ne voulait jamais se résoudre à ces dualités presque confortables. Aller du mal au bien, du bien au mal ; de la mémoire vers l'oubli, puis, de l'oubli, glisser vers la mémoire : longtemps il avait cru voir dans ces successions brutales d'ombre et de lumière le chemin même de son âme. Mais le temps lui imposait jour après jour des transgressions plus nuancées, plus subtiles parfois, souvent plus irritantes. Ainsi, pour Christina et pour Mme Rossetti, Elizabeth Siddal symbolisait-elle la débauche, le désordre moral et physique de Chatham Place, quand Lizzie restait dans l'âme de Dante Gabriel un refuge de cristal, que seule la peinture avait effleuré de sa sensualité.

Dante n'aimait pas Albany Street, ni cet appartement que son frère y avait trouvé pour la famille. Après la maison d'enfance de Charlotte Street, avec sa vie foisonnante, les projets, les idées généreuses, en politique comme en art, il lui avait fallu voir tout se rétrécir, vieillir, s'amenuiser. Pire, il avait toujours porté comme un remords cette blessure. Incapable d'aider ses proches quand ils étaient dans le besoin, il allait être riche, mais trop tard. Gabriele Rossetti était mort aveugle et malheureux, ses traductions de Dante méprisées ou inconnues. Ce fils même, qu'il avait prénommé en souvenir de son idole, semblait s'éloigner, se dissoudre dans de vaines contradictions. On lui disait que ses toiles célébraient Dante Alighieri, mais il ne pouvait plus les voir. On lui disait aussi que Dante Gabriel vivait dans la luxure, renonçait à la poésie, et cela lui serrait le cœur.

Ainsi Dante Gabriel se devait-il d'éprouver des remords. Muets reproches de son père, de Walter Deverell. Il acceptait sans révolte cette condamnation de la mort, cette oppression mentale. Pourtant, au plus profond de lui, il savait n'être pas infidèle — mais les chemins de sa fidélité n'étaient pas perceptibles aux regards du siècle, et pas même au regard de ceux qui croyaient le connaître ou l'aimer.

C'était là. Lizzie interrogea Dante du regard. Il respira profondément avant de frapper à la porte. On entendit un frôlement de pas, puis une silhouette se glissa dans la porte entrebâillée. Christina. Comme elle avait changé, depuis la toile où elle incarnait la servante du Seigneur ! Les traits tirés, le corps si frêle comme effacé, dans une longue robe noire ; tout dans son attitude disait le mépris de la vie terrestre. Sa main qui tenait la porte semblait posée à regret sur le chambranle, comme si tout contact avec les choses lui semblait méprisable, inutile. Elle contempla Lizzie en silence, et ce silence redouté se prolongea. Une étrange ressemblance liait ces deux femmes si éloignées. Dante le ressentait pour la première fois. Lizzie, sans doute, avec sa maladie, avait perdu un peu de cette aura troublante qui l'avait fasciné. Mais c'était autre chose, aussi. Une même fièvre, au secret du regard, cette vibration pathétique qui palpitait en elles, chandelles pâles, brûlées d'une flamme différente, mais toutes deux offertes à la consumation inexorable d'un tourment qu'elles avaient choisi.

— Je reconnais Elizabeth Siddal, dit enfin Christina.

Il n'y avait pas d'hostilité dans sa voix, mais un acquiescement atone à la réalité qui les dépassait tous, les obligeant à jouer un rôle écrit d'avance.

— Je crois que ma mère sera heureuse de vous rencontrer ! dit-elle en prenant le bras de Lizzie.

L'appartement obscur et dépouillé était d'une funèbre austérité. Elizabeth avait gardé l'image de sa première visite à Charlotte Street. La famille Rossetti était restée dans son esprit liée au flamboiement de ce théâtre ouvert où des portes claquaient, où se mêlaient les effusions et les colères. Seul, Dante Gabriel semblait avoir gardé la flamme ancienne, au cœur même de ses excès.

Des murs nus, tendus d'un tissu à rayures en camaïeu jaune pâle, une cheminée de marbre noir où le feu déclinait. Madame Rossetti était assise là, au coin de l'âtre, la tête penchée, perdue dans ses pensées couleur de cendre. Dante toussota. Sa mère releva la tête et, sortant soudain de sa prostration, elle se leva avec une émotion fébrile, étreignant nerveusement ce fils maudit qui lui restait si cher.

— Mon Dante ! Ainsi tu es venu ! Toi seul peux m'apporter un peu de réconfort en ces jours funèbres.

Evincées de la scène, Christina et Lizzie atten-

187

daient comme deux collégiennes que le regard de la vieille femme témoignât de leur présence. C'est avec beaucoup de condescendance que madame Rossetti accepta enfin de se détourner vers Lizzie.

— Ah ! mademoiselle Siddal ! Je suis très heureuse que vous ayez accepté mon invitation.

Mais la froideur de sa voix rendait ces mots d'accueil très artificiels, tandis qu'elle toisait Lizzie avec un haussement de sourcils désapprobateur pour sa chevelure déployée. Déléguant ses devoirs d'hôtesse à Christina, elle saisit la main de Dante Gabriel.

— Alors, quelles nouvelles du monde des vivants nous apportes-tu ? s'enquit-elle avec une curiosité désenchantée qui voulait suggérer plus de politesse que de réel intérêt. Son regard, démentant l'urgence de sa question, semblait dire : « Peu importe de quoi nous parlons. L'essentiel est que j'aie auprès de moi ce fils devenu si rare, que seule sa mère sait aimer. »

Un peu gêné, Dante se lança dans un monologue d'information politique à la fois volubile et modestement convaincu :

— De grandes et redoutables choses, ma mère. Le monde bouge, pendant que nous pleurons notre passé. La guerre en Crimée semble irrémédiable. A l'heure où je vous parle, Lord Raglan a débarqué à Gallipoli avec vingt-cinq mille soldats de Sa Gracieuse Majesté Victoria. Les Français nous soutiennent, sous le commandement du maréchal Saint-Arnaud. Mais les troupes russes ne se laisseront pas aisément manœuvrer, je le crains. L'intégrité de l'Empire ottoman semble encore bien lointaine.

Un sourire involontaire naissait aux lèvres de Lizzie, tandis qu'elle écoutait son amant pérorer ainsi. Elle savait que ces événements ne présentaient aucun intérêt aux yeux de Dante Gabriel. On eût dit un petit garçon récitant d'un ton faussement enjoué une fable ennuyeuse.

— La guerre contre la Russie ! fit madame Rossetti, songeuse. Ton pauvre père n'aura pas vu se confirmer ses prédictions.

Sur des petites chaises sombres au dossier court, chacun s'était assis auprès du feu. D'un accord tacite, ils avaient choisi de se placer ainsi, en demi-cercle, les yeux fixés sur les flammes mourantes, en évitant la gêne de se regarder.

— Après tout, que les hommes se battent, s'ils sont fous ! reprit madame Rossetti. Mais je ne vous ai pas fait venir tous deux pour parler de la guerre de Crimée, vous vous en doutez. Les bruits les plus désagréables courent à votre sujet, et...

— Mère ! implora Christina, inquiète de voir tout à coup le sang colorer vivement les joues de madame Rossetti.

— Laisse-moi, Christina ! L'hypocrisie et la dissimulation n'ont jamais été le fait de notre famille. Des choses doivent être dites, et elles le seront ! lança-t-elle d'une voix affermie.

Lizzie n'avait pas dit un mot jusque-là. Assise sur l'extrême bord de sa chaise, les yeux baissés, le regard tourné vers la cheminée, elle semblait absente plus encore qu'intimidée. Christina et Dante Gabriel furent stupéfaits de la voir se lever, de l'entendre interrompre madame Rossetti.

— Ne vous mettez pas en peine, madame. Je sais tout ce qu'on vous aura dit de moi, de notre vie. Je comprends vos craintes. Mais vous devez m'écouter aujourd'hui.

Sa voix forcée trahissait une immense fatigue, une énergie désespérée qui donnait à ses mots un bouleversant accent de vérité.

— C'est un soulagement pour moi de pouvoir enfin témoigner devant vous de mon propre sort, continua Elizabeth. Personne ne connaît vraiment le lien qui m'unit à votre fils. Ce lien est le plus sacré qu'on puisse concevoir. Les colporteurs de mensonges ne sauraient l'imaginer. Je vis avec Dante Gabriel dans un appartement de Londres. Ce n'est pourtant qu'une apparence. Nous partageons en fait une planète différente — la planète de l'art.

Les paroles de Lizzie avaient saisi ses interlocuteurs, mais chacun semblait y réagir à sa manière. Christina, fervente, buvait les paroles de Lizzie comme si elle eût entendu parler une autre elle-même, dont elle ressentait à la fois l'éloignement et la sincérité. La moue de madame Rossetti trahissait une réaction très différente. Choquée

190

d'avoir été interrompue, elle trouvait cette emphase et ce lyrisme bien déplacés dans la bouche d'une petite modiste intrigante. Dante Gabriel, quant à lui, sentait toutes ces ondes contradictoires se croiser dans la pièce. Incapable de prendre parti, il regardait Lizzie avec un masque d'hébétude où l'on pouvait trouver autant d'horreur que d'espoir. Elizabeth était ailleurs, dans un dépassement surhumain de sa timidité, de sa honte, et, sans rien voir de l'effet de ses paroles, elle poursuivait :

— Sachez, madame, qu'à ce jour, Dante Gabriel m'a respectée au point de ne m'avoir jamais touchée, aussi invraisemblable que cela puisse paraître.

— Peut-on vous demander quelle raison vous pousse donc à partager son toit ? ironisa madame Rossetti.

— Je crois vous l'avoir déjà dit, madame. J'offre ma vie entière à l'art de votre fils. Il a cru reconnaître en moi comme un chemin vers cet ailleurs qu'il a toujours cherché. Je ne suis qu'un passage...

Soudain oppressée, elle ajouta plus faiblement :

— Je ne suis qu'un reflet. Chaque jour m'efface, et je n'aurai vécu que pour le rêve de Dante. Mais je n'ai rien à me reprocher.

— Que m'importe ce rien ? ! explosa madame Rossetti, qui s'était levée à son tour, repoussant le bras de Christina. — Je vous trouve bien vulgaire

191

de venir brandir comme une oriflamme vos problèmes les plus intimes !

— Mère ! Il ne s'agit pas de problèmes intimes ! intervint à grand-peine Dante Gabriel. Il s'agit... d'une ascèse. Et cette ascèse change tout... Il est pénible, je le reconnais, d'avoir à clamer ce secret, mais quand la suspicion pèse trop lourd, la vérité doit jaillir de la lumière.

— Eh bien, votre lumière est très obscure ! reprit madame Rossetti, vibrante de colère. Ce que vous appelez la pureté de vos relations me paraît à la fois bien orgueilleux et bien malsain ! Ce que je suspecte, précisément, c'est cette atmosphère équivoque qui fait jaser à juste titre. Depuis que Dante s'est empêtré dans vos filets, il n'est plus mon fils !

Elle s'était approchée d'Elizabeth, la dominant du regard avec une violence insoutenable. Lizzie s'effondra sur sa chaise, cachant son visage dans ses mains. Mais madame Rossetti n'en avait pas fini.

— Dante a eu d'autres maîtresses, je le sais. Il en a encore, et vous le tolérez de façon bien étrange. Ces femmes ne sont que des passades dans sa vie. Mais avec vous, un poison nouveau a coulé dans ses veines. A l'heure où le succès le réclame, il ne peut paraître aux yeux du monde, tant sa vie privée y semble scandaleuse !

Et, plus bas, la voix soudain brisée d'émotion,

de fatigue, et d'une amertume proche du regret, elle acheva dans un souffle :

— A l'heure où se mourait Gabriele Rossetti, j'avais déjà perdu son fils.

Insensible au murmure de protestation qui la suivait, la vieille femme s'éloigna, s'appuyant sur sa canne, repoussant les exhortations de Christina d'un geste évasif de la main.

Un silence consterné s'installa dans le salon froid. Le feu s'était éteint. Elizabeth, atterrée, restait prostrée sur sa chaise. Christina vint s'asseoir à ses côtés, posant la main sur l'épaule de Lizzie.

— Je suis désolée, dit-elle doucement. Pour ma part, je ne doute en rien de votre sincérité. Mais il faut comprendre ma mère. C'est vrai que vous lui avez pris son fils d'une manière très particulière.

— Mais que signifient ces mots ? balbutia Elizabeth dans un sanglot. Est-ce prendre un fils à sa mère que de lui permettre d'accomplir l'œuvre qu'il porte en lui ? Je ne vois là au contraire qu'une fidélité parfaite au passé.

— C'est justement ce que les mères ne peuvent supporter, reprit Christina. Elles tolèrent les coquettes, les jalouses, et même les violentes. Mais les femmes qui leur succèdent pour aider un homme à s'accomplir leur sont insupportables... Et puis, Elizabeth, votre conception de la pureté choque ma mère. Moi-même, je trouve très équivoque cette tension si sensuelle — plus sensuelle encore d'être retenue — qui habite les toiles de Dante Gabriel depuis qu'il vous aime.

Après l'insupportable esclandre qui venait d'éclater, Rossetti se trouvait presque soulagé. Sentant que la conversation risquait de dégénérer à nouveau, il se hâta d'en détourner le cours.

— Et toi, Christina ? Toujours dans tes prières, tes poèmes ?

Un faible sourire de dérision vint aux lèvres pâles de la jeune femme.

— Vois-tu, Dante, chacun apprivoise à sa guise le mot fidélité. Tu regrettais que Collinson entrât dans un couvent. Eh bien, il en sort ces jours-ci, reniant sa parole. J'ai refusé de le revoir. Moi, mon couvent est dans ma vie. Je n'en sortirai pas. La poésie n'est pas ma religion. Mais ma religion ne s'offusque pas de ma poésie...

« Souviens-toi de moi quand je serai partie,
Partie si loin, au pays du silence. »

Dante Gabriel avait retrouvé sa belle voix sombre veloutée pour dire à haute voix ces vers mélancoliques.

— Tu vois, Christina, je sais tes poèmes par cœur. Je n'ai rien oublié.

Un long silence suivit, chargé d'une émotion presque perceptible. Comme ils se sentaient proches ! Au-delà des destins imposés, comme ils se comprenaient. La colère même de madame Ros-

194

setti semblait davantage l'aveu du désarroi que l'expression de la rancune. Mais elle s'était murée dans une haute solitude. Et chacun d'eux, ainsi, allait se replier dans sa voie sombre. Christina savait la pureté de Lizzie, au cœur de sa sensualité languide. Elizabeth sentait cette ombre de sensualité que Christina cachait au fond de ses prières, au gris de ses tristesses. Et Dante Gabriel... Jouer sur tous les tons les palettes de l'âme était pour lui comme un devoir, l'essence de sa quête. Il s'était éloigné de sa maison, de sa mère, de Christina. Mais on ne quitte pas l'enfance. On en garde la blessure, l'exigence, et des visages restent là, inflexibles témoins de ce qu'il faut donner pour essayer de se mériter soi-même.

Ils sont là tous les trois, brûlés par la flamme cruelle de leur rêve, et le remords d'une impossible pureté. Les mots sont loin. Ils voudraient autre chose, une douceur, un abandon, peut-être seulement pleurer ensemble. Mais non. Il y a juste un silence, et dans l'air ce frémissement ; le rêve passe. Par la fenêtre du salon, on aperçoit cette blancheur des marronniers en fleur qui neige au long d'Albany Street.

Le couloir dallé d'un damier rouge et blanc de céramique poussiéreuse résonnait sous les escarpins à talons hauts des deux avocats. Dehors, c'était l'été. Mais dans le tribunal ecclésiastique, une fraîcheur austère suintait des plafonds hauts, de la solennité des boiseries sombres, de l'idée même de sentence planant comme une menace dans ce décor oppressant. Depuis longtemps déjà, le juge et son assesseur avaient quitté la salle d'audience, mais maître Pott et maître Canley, les deux *proctors* chargés de défendre, l'un les droits de John Ruskin, l'autre ceux d'Euphemia, restaient dans le couloir déserté, marchant lentement, hochant la tête avec une sorte d'amertume triste qui secouait les pans bouclés de leur perruque.

— Oui, mon cher Canley ! Je ne suis pas fier de moi, ce soir. Maître Rutter, l'avocat de monsieur Ruskin père, est un ami, et je n'ai pu lui refuser de m'occuper de cette affaire. Mais jamais plaidoirie ne m'aura autant gêné. Dieu merci, les tribunaux ecclésiastiques ont le bon goût de ne pas faire comparaître les parties adverses lors des procès ! En dépit de sa célébrité, je tenais John Ruskin pour une espèce de jésuite, mais je me demande aujourd'hui si ce n'est pas un fou.

Saisissant son collègue par le bras, fouillant de l'autre dans sa poche, maître Pott interrompit leur déambulation.

— Regardez ce petit carnet ! Ruskin y inscrivait chaque jour les termes de la moindre querelle qui l'opposait à sa femme. A ses yeux, cette pièce à conviction devait m'aider dans ma tâche ! s'exclama-t-il en haussant les épaules.

Canley saisit le calepin de toile grise, l'ouvrit au hasard, et lut d'un ton incrédule :

« Brig O'Turk — 3 juillet 1853.

John — Que regardes-tu, Effie ?

Effie — Rien.

John — Alors, à quoi penses-tu ?

Effie — A bien des choses.

John — Dis-moi lesquelles.

Effie — Je pensais à des opéras, à des divertissements, et (avec colère) à bien des choses.

John — Et à quelles conclusions en es-tu arrivée ?

Effie — A aucune... puisque tu m'as interrompue. »

— C'est insensé ! souffla Canley en refermant le carnet. Comment un homme d'une telle intelligence pouvait-il se montrer si mesquin dans l'intimité ?

— Et encore, mon cher Pott, n'ai-je pas produit devant la cour la lettre dans laquelle Ruskin s'offre à prouver sa virilité. Je vous laisse juge de l'impression qu'elle eût produite, attendu qu'Euphemia a été formellement reconnue vierge par deux médecins !

Les deux hommes, les mains croisées dans le dos, les yeux rivés au sol, reprirent leur marche lente dans la solitude du palais.

— Oui, c'est une étrange affaire ! reprit Canley. L'annonce de la nullité du mariage risque de faire grand bruit quand elle sortira de ces murs. Savez-vous que la reine Victoria elle-même désapprouvait l'idée de ce divorce ? Pour ma part, je devrais être satisfait, puisque ma cliente a obtenu ce qu'elle désirait. Pourtant, je ne sais quelle mélancolie m'étreint tout à coup... Je n'ai pas pour Euphemia Gray beaucoup plus de sympathie que vous n'en éprouvez pour John Ruskin. J'avoue que le bonhomme est étrange, insupportable, même. Mais, après tout, c'est un génie, et elle n'a jamais rien fait pour le comprendre. Pour avoir approché Euphemia, je peux même affirmer qu'elle était incapable d'apporter à Ruskin cette complicité intellectuelle qu'il espérait.

— Sans doute, Canley. Mais, génie ou pas, les femmes ne se marient pas pour vivre avec un enfant. Or, mon client, malgré son autorité en matière artistique et morale — ce dernier point a de quoi nous faire sourire aujourd'hui — est toujours resté un enfant, fasciné par l'enfance, incapable de se détacher de ses parents.

— Et c'est bien en cela que je le trouve plutôt sympathique ! coupa Canley. Ruskin n'est pas normal, c'est vrai, mais qu'appelons-nous normal ? Un être primaire, capable de balayer tout son passé pour se plonger dans l'avenir, est un homme normal. Toute notre éducation présente la sexualité comme quelque chose de honteux. Comment dès lors un homme lié comme Ruskin à la pureté de son enfance, ne serait-il pas traumatisé par l'acte sexuel ? J'ai souvent pensé à cette nuit de noces dont Euphemia étalait devant moi l'horreur avec un peu de complaisance. Elle n'était pas la seule à être malheureuse, à Blair Atholl. J'imagine Ruskin, paralysé par ce corps qui s'offrait à lui. En le refusant, il refusait de bafouer son enfance.

Ils parlèrent ainsi longtemps, croisant étrangement leurs causes, en reflétant par des arguments inversés la plaidoirie qu'ils avaient tenue auparavant au nom de la société. Il n'y avait plus le vrai, le faux, ni le pur et l'impur. Ces âmes frémissantes et désespérées qu'ils avaient côtoyées, pénétrées, recelaient des trésors de tendresse blessée. Mais leur métier était cruel, et leur métier leur semblait la vie même : au moment de comprendre, il faut choisir ; quand on est sur le point d'aimer, il ne faut plus que séparer. Leurs paroles coulaient, pour effacer un peu ce malaise de voir les destins se croiser, les amours se détruire. Par les fenêtres étroites ogivées se mourait doucement un jour bien plus vieux que l'été.

18 OCTOBRE 1855

Paris
Elizabeth Siddal
à John Ruskin

Mon cher John,

Je sais que cette lettre vous trouvera un peu trop solitaire, après tant de soirées passées ensemble cette année, après tant d'heures où l'amitié a grandi sans effort, à Chatham Place, à Denmark Hill ; tant d'heures grises nées dans la mélancolie, nous rapprochant l'un de l'autre au fur et à mesure que la société nous bannissait, que nos amours s'éloignaient lentement. Euphemia et John Millais se mariaient ; Dante Gabriel se perdait dans les bras de Fanny Cornforth ; il nous restait ces heures douces où nous parlions, dans le cercle des lampes, à l'abri du brouillard — nous les retrouverons.

Je suis bien à Paris, dans ces couleurs d'octobre. La chambre de l'hôtel domine le jardin des Tuileries. J'ai avancé une table devant la fenêtre ouverte, et je vous écris là. A ma droite, dépassant les arbres, j'aperçois le sommet de cet obélisque, tant décrié lors de son érection, et que vingt ans de présence silencieuse ont intégré au paysage. Au-dessous de moi, de tous les ocres, de tous les fauves, de tous les cuivres, de tous les rouges sombres, en d'infinis dégradés balancés par un vent léger, s'étend une mer de feuillage. Il fait encore chaud, et pourtant le soleil décline. Ce n'est pas l'automne des Cotswolds, ni même celui de Londres. Ce n'est pas l'automne mouillé, fermé par le vent et la pluie, l'automne en long sommeil de désespoir. Les couleurs se ressemblent, mais je les sens ici d'une solennité presque superficielle. Je marche tous les soirs dans les allées du parc, avec la sensation étrange que mon corps ne pèse plus, que je vis là depuis des siècles, dans cette gloire d'ambre sèche. Il fait très beau et l'idée de finir paraîtrait déplacée comme une inconvenance. Cet air me fait du bien, sans doute. Mes jours n'en sont pas moins comptés, mais je me laisse aller — tant mieux si je n'existe plus.

Je devine quelle contrariété vous a donnée Rossetti en me rejoignant ici, en compagnie du poète Robert Browning et de sa femme. Rejoindre est d'ailleurs un grand mot. Ainsi, ce soir, il est chez les Browning, où il doit être présenté à la comtesse de Castiglione, et à je ne sais quel critique influent de la Revue des Deux Mondes. On m'a dit que vous souhaitiez qu'il aille peindre au pays de Galles, afin d'honorer enfin les commandes que vous lui avez fournies. Je vous promets de faire de mon mieux pour précipiter son retour en Angleterre. Mais vous n'aurez jamais, je le crains, autant d'influence sur sa peinture que vous n'en aviez sur celle de *John Millais*. *Dante* est trop fantasque, trop insaisissable, trop désireux aussi d'échapper à ce que l'on attend de lui.

A lire ces mots, un autre que vous pourrait penser que je ne l'aime pas. Vous savez ce qu'il en est, pourtant. Je le regarde vivre avec tristesse, quelquefois, mais mon âme est à lui. Ici, il aime s'étourdir, et *Paris* semble avoir été conçu pour l'étourdissement. Nous sommes allés ensemble à cette Exposition universelle dont on parle tant. Nous avons vu passer le carrosse de *Napoléon III* et de l'impératrice *Eugénie*. J'ai demandé à *Dante* quel effet lui faisait ce monarque traître à son ancien serment de carbonaro, mais il a balayé ma question d'un geste de mauvaise humeur — *Dante* est lui-même la proie de tant de contradictions !

Nous avons vu les toiles magnifiques de *Millais* et de *Hunt* présentées à l'Exposition, et aussi le tableau, bien académique, de *Winterhalter* représentant l'impératrice. Beaucoup de gens nous ont conseillé de voir des toiles de *Courbet* refusées, et exposées à part dans un petit pavillon, mais *Dante Gabriel* n'a pas cru bon de s'y rendre. Quant au *Louvre*, nous l'avons parcouru à grandes enjambées, et les commentaires de mon compagnon n'étaient pas les plus tendres. Je sais que vous serez peiné de ces réactions, mais *Rossetti* n'est pas un peintre comme les autres, et la peinture des autres le concerne seulement quand elle s'approche de son univers poétique. Le champagne, les exaltations mondaines, une certaine effervescence : voilà ce qu'il semble venu chercher ici.

Pour moi, Paris a d'autres charmes, plus silencieux, plus solitaires. Depuis quelques instants, je n'entends plus monter à travers le feuillage cette rumeur des cris d'enfants qui amplifiait l'espace. La ville se fait bleue, avec le soir qui tombe. Un bleu moins gris que celui de Londres, un bleu où dormirait une touche d'ambre, et le vert sombre des gazons. Les voitures s'espacent, et les fers des chevaux ne claquent plus qu'à lointains intervalles. Je suis très près de vous, dans cet automne différent. Je vais être très sage, et vous obéir en tous points. J'irai jusqu'au soleil de Nice, et puis en Suisse, au début du printemps, si vous me promettez de m'y rejoindre. Je ne crois plus guérir, mais je crois à votre amitié ; j'irai partout où vous voudrez. Vous m'avez dit un jour que vous étiez né pour concevoir, non pour réaliser. Je me sens pour ma part faite pour refléter, et non pour être. Un peu en retrait de la vie, soyons les spectateurs du torrent qui s'écoule. Je vous envoie le bleu léger d'un soir d'octobre dans Paris, pour adoucir votre mélancolie, pour adoucir vos peines.

Votre Lizzie

— Et j'aurais pu passer ma vie sans rien savoir de ce bonheur !

John Millais avait prononcé ces mots à mi-voix, comme pour s'assurer qu'il ne rêvait pas. Le corps engourdi de plaisir, il passa la main sur les draps, à la place encore chaude d'Euphemia. Avant de s'envoler dans le jardin, Effie avait entrouvert la croisée. Le parfum des lilas se mêlait à la fraîcheur de l'air. Des voix d'enfants lointaines soulignaient en contrepoint le silence de l'après-midi.

C'était bien le printemps, après l'hiver qui leur avait semblé un éprouvant jeu de patience. Leur premier hiver ensemble. Jamais ils n'en avaient connu de si long, de si froid. Les remords, les rumeurs, les rues glacées, les arbres nus : la ville était comme un reproche. Leurs corps tremblaient de se connaître, et cependant tout était venu lentement. Rien ne les séparait plus que leurs propres défenses, leurs hontes, et quelquefois leurs peurs. Pour la première fois, John Everett s'approchait d'un corps de femme. Effie gardait dans tous ses gestes une blessure ancienne, et, malgré le désir de l'effacer, se refermait à la moindre fêlure. Ils avaient tant rêvé de cette maison blanche où ils feraient l'amour. La vigne vierge envahissait les murs, et tout était comme ils l'avaient souhaité. Choqués pourtant par leur mariage, beaucoup de leurs amis s'étaient éloignés pour un temps — ils s'étaient retrouvés dans une île de silence.

Un hiver de glace s'était cristallisé sur eux, avec sa lumière, sa transparence — avec aussi ce froid qu'Effie ne pouvait effacer. Le front appuyé contre la vitre de sa chambre, devant les arbres du jardin gelé, Euphemia avait douté, certains matins, douté d'elle et de tout, épouvantée d'avoir abandonné Ruskin sans dissiper le froid. Mais ils avaient été patients, humbles, surtout. Balayant leur orgueil, leur pudeur, ils s'étaient effleurés, puis s'étaient approchés encore. Leurs corps avaient risqué, gêne après gêne, un langage différent. La vérité fragile de ces gestes les avait bouleversés. La moindre hésitation, le moindre éloignement brisaient à chaque fois cette chaîne de confiance qui les faisait sortir de leur enfance pour y mieux revenir. Comme des enfants graves apprivoisant des rites étranges, ils avaient appris l'amour, et doucement, sur le fil de leurs jours, la glace avait fondu.

John Everett se leva, s'approchant du bow-window. Près de la grille, Effie cueillait des branches de lilas. De dos, les bras levés, les cheveux dénoués, à la fois délicate et enjouée, si mince dans sa longue robe de velours grège, elle semblait la plénitude même de l'après-midi, la paix vert pâle de l'herbe nouvelle, la paix vert sombre des buissons de troènes. Et John la regardait. Oui, ce bonheur profond qui le gagnait, c'était bien de l'enfance. Pourquoi ? D'autres jardins lui revenaient, avec leurs parfums, leurs allées, et le secret d'un temps où tout se confondait. Comme autrefois, il devenait le mauve du lilas, le blond de cette flèche de soleil qui mourait à ses pieds sur le plancher. Odeurs de cire, de lilas, silhouette de femme, goûters, jardins, silence. Aucun désir, mais arrêter le temps, léger comme une bulle de savon dansant devant le regard d'un enfant. Saurait-il jamais dire avec des couleurs, des tableaux, cette paix du corps et de l'âme qui le faisait flotter à travers le temps, les jardins ? Tout ce qu'on lui avait dit sur l'amour paraissait dérisoire. On ne salissait rien à écouter le corps, à suivre son langage. Que de mensonges balayés aujourd'hui ! songeait-il avec un sentiment proche du remords. Il n'aurait pas assez de sa vie tout entière désormais, pour bâtir une œuvre autour de l'amour, du bonheur, pour crier à la face du monde sa vérité nouvelle.

Pauvre Ruskin ! se dit-il en laissant retomber le

rideau. Dans la transparence du voile, la silhouette d'Euphemia était devenue floue. Pauvre vieux fou ! Il n'aura vu d'Effie que cette image indécise, estompée par l'égocentrisme. Mais moi, il me suffit de lever ce rideau, et la lumière me vient d'elle !

Quittant la fenêtre, il respira, les yeux fermés, l'atmosphère de sa maison. De chambre en chambre, de corridor en escalier, de cuisine en salon, il commença une lente et voluptueuse déambulation. Oui, c'était bien chez lui, chez eux, cette maison-terrier où les livres dispersés, les tableaux innombrables, les meubles chauds traduisaient le bien-être, le désir d'intimité. Dans le salon, Effie, malgré la journée printanière, avait allumé un grand feu. Tout autour de la cheminée, les boiseries aux colonnes évidées recelaient des trésors de vieux livres reliés de cuir sombre, dans un attirant désordre qui donnait envie de les regarder, de les toucher, de les ouvrir. Une collection d'assiettes anciennes aux délicats motifs d'un bleu laiteux surmontait ce coffre aux mystères. Partout dans la pièce, des lambris et des livres gardaient la chaleur du foyer. Une table encombrée de gravures, des fauteuils confortables aux courbes moelleuses, des sofas : tout indiquait qu'ici on ne *recevait* pas, qu'on n'avait pas conçu une vitrine pour le regard des autres, mais une pièce à vivre, à lire : une pièce où le visiteur aurait envie de parler doucement, de choses simples et vraies, entre deux silences sans gêne, en feuilletant un vieil album, ou en regardant le jardin se découper par la porte-fenêtre. Cette unique ouverture donnait au jardin aperçu plus de fraîcheur encore. Une branche de vigne vierge cernait la perspective, et, tout au fond, le mauve pâle du lilas flottait dans le vert sombre. Chaque fois qu'il regagnait cette pièce, Millais ne pouvait s'empêcher de revoir sa première visite à Herne Hill, dans la maison glaciale des Ruskin. Il retrouvait leur première conversation, cet abandon mélancolique d'Euphemia. Déjà, elle portait au fond de son regard ce rêve d'une maison nouvelle, ce rêve de chaleur qui ferait reculer le froid...

Elle rentra, une brassée de lilas mouillant le velours de sa robe. John Everett la regardait en souriant. Feignant d'ignorer tout le plaisir qu'il avait à la suivre des yeux, elle virevolta dans le salon, dénouant son chapeau, disposant sans les couper les branches dans un vase de Chine, puis s'esquivant pour préparer le thé. Elle revint à ses côtés. Ils parlèrent à petits coups, avec de délicieux intervalles où ils buvaient les flammes, le lilas, la quiétude de l'heure...

— Et ces *Feuilles d'automne* ?

— Cela avance, Effie. Je vais m'y remettre après le thé... Cela me paraît un peu étrange de peindre ces couleurs fauves au début du printemps. Mais le tableau est bon, je le sais, et je dois le finir. Surtout si c'est mon dernier de ce genre.

Il sourit en réchauffant la tasse dans ses mains rapprochées. La toile ne progressait que bien lentement. John Everett l'avait commencée avant l'hiver. Il lui accordait une extrême importance, sentant sa perfection latente. En même temps, c'était déjà comme une œuvre extérieure à son univers, qu'il peaufinait avec le détachement d'un esthète — mais il avait perdu pour elle la foi du créateur.

— Que dit Emma Brown dans sa lettre ? demanda-t-il, détournant la conversation.

— Eh bien, les Brown ont souvent la visite de Rossetti, ces jours-ci. Dante Gabriel est devenu fou de jalousie, lorsqu'il a appris qu'Elizabeth et Ruskin avaient séjourné ensemble en Suisse, l'été dernier.

— Jaloux de Ruskin ! s'exclama Millais en riant !

— Oui, enfin... Jaloux de l'amitié, de l'influence, des mélancolies partagées. Il paraît qu'on parle beaucoup à Londres de ce triangle étrange, de cette promiscuité assez équivoque. Maintenant que Lizzie est revenue à Chatham Place, ils ne se quittent plus, tous trois. Dante a toujours ses maîtresses notoires, et John ses crises de folie mystique, mais, pour le reste, ils passent le plus clair de leur temps à refaire le monde en bavardant devant les brouillards gris de la Tamise.

— Je devine assez bien, fit gravement Millais. Cela ne me réjouit guère. Et je trouve plus triste encore de voir ces relations bizarres devenir la fable de tout Londres, être caricaturées dans le *Times* sous le crayon acide de Beerbohm. Comme je les plains ! reprit Millais après un long silence, levant les yeux vers l'infinie fraîcheur de son jardin, tous les verts, les mauves pâles, pour conjurer ce gris où s'enlisaient les silhouettes anciennes de l'amour, de l'amitié. S'approchant d'Euphemia, il l'enlaça tendrement. — Connaîtront-ils jamais cet accord de l'âme et du corps que j'ai trouvé auprès de vous ?

— Souhaitent-ils seulement le trouver ? fit doucement Effie, inclinant son visage contre l'épaule de John Everett. — Pour eux, John, le bonheur est un peu méprisable. C'est ce que disait Ruskin, et c'est sans doute ce que pense Rossetti. Ne sachant pas donner, ils préfèrent ne pas avoir à recevoir. Ruskin ne voulait pas faire l'amour, parce que l'amour commence par l'humilité.

Le front de Millais s'était assombri.

— Eh bien tant pis pour le passé. Je leur montrerai de quoi je suis capable, depuis que le bonheur m'a traversé !

Quittant la pièce, il se dirigea vers son atelier. Sous la verrière envahie de chèvrefeuille, parmi les flacons amoncelés, les tubes entrouverts, le chevalet se dressait, au centre du désordre. *Feuilles d'automne.* Le climat envoûtant de la toile rasséréna d'emblée Millais.

Deux jeunes filles aux longs cheveux vêtues de robes sombres. L'une d'elles porte un panier d'osier. L'autre y puise des feuilles mortes. Près d'elles, deux enfants plus jeunes : l'une a un râteau à la main, l'autre croque une pomme aussi rouge que son foulard. Au premier plan, un monceau de feuilles rousses, vert tilleul, jaune mat. Au loin, des arbres étouffent l'horizon, mêlent leur ombre aux chevelures.

En bas du chevalet, Millais avait fixé un papier froissé avec ces quelques lignes, écrites quatre années auparavant : « Y a-t-il sensation plus délicieuse que celle éveillée par l'odeur d'un feu de feuilles d'automne ? Pour moi, rien ne rappelle plus profondément le souvenir des jours enfuis. C'est l'encens offert au ciel par l'été finissant. Et cela donne le sentiment rassurant que le temps met un sceau pacifiant sur tout ce qui s'en va. »

Oui, il avait vécu de tout cela. Aimer les choses qui s'en vont, la mélancolie de finir. Apprivoiser le mal de vivre, en boire la douleur à gorgées douces-amères. Aimer la pluie, les vignes vierges rougeoyantes, aimer l'octobre des saisons, les chemins atténués, la mort en valse lente, et quelque chose de l'adolescence jusqu'au bout. Il se sentait troublé, devant la scène campagnarde où dormait tant de lui. Il saisit un pinceau, griffa presque rageusement la toile de sa signature : John Everett Millais — 1856.

Voilà, se dit-il. Voilà la ligne de partage. Je suis

encore chez moi dans cette rousseur déployée, dans ces branches, ces chevelures. Je suis encore chez moi, mais je m'en vais vers d'autres rêves, d'autres couleurs, d'autres chemins.

Tournant le dos au chevalet, il ouvrit largement la porte-fenêtre sur le jardin mouillé par une brève averse. Il respira profondément l'odeur de terre humide et de lilas. Bonheur... Il prononça ce mot du bout des lèvres, et le mot s'envola vers l'avenir fragile et la pureté de l'enfance. Bonheur... Un jour, il atteindrait l'irisation légère de ce mot. Peindre avec l'âme d'un enfant qui voit s'envoler devant lui des bulles de savon. Garder cette image impossible : la bulle monte et se dissout dans le ciel pâle. Rien ne sépare plus. Tout est rond. Tout est clair. La pluie, l'amour, les jardins, les lilas, les enfants, les enfances. Tout ce qui meurt avec l'automne, et qu'il faut nommer avant lui.

Depuis six semaines, la Salle des débats de l'université d'Oxford vivait dans une effervescence inouïe. Les hautes voûtes résonnaient d'exclamations d'enthousiasme ou de déception. Partout des échelles, des échafaudages. Des pièces d'étoffe maculées protégeaient les pavés du hall, les parquets de la galerie. Dès huit heures du matin, on rencontrait là l'architecte Woodward, les peintres Arthur Hughes, Spencer Stanhope, Madox Brown, et plus curieusement le poète Charles Algernon Swinburne, petit faune nabot, avec sa barbichette rousse et ses commentaires de bouffon visionnaire. On rencontrait surtout, à toute heure du jour jusqu'à la nuit tombée, un trio devenu indissociable en cet automne de l'année 1857 : William Morris, Edward Burne-Jones, Dante Gabriel Rossetti.

Au « Collège des travailleurs » de John Ruskin, Rossetti avait rencontré Burne-Jones et Morris. Les deux jeunes gens cherchaient leur voie : peinture ou poésie pour Burne-Jones ; architecture, décoration, poésie pour William Morris. Tous deux avaient fondé *The Oxford and Cambridge Magazine*, une revue déjà célèbre où se mêlaient l'exaltation religieuse et la colère contre la misère du peuple anglais. Fascinés par le Moyen Age, mais révolutionnaires dans l'âme, Morris et Burne-Jones voulaient changer la vie. Sans trop le savoir, ils rêvaient d'un meneur, qui rassemblât leurs aspirations contradictoires. Jetant les bases d'une religion nouvelle, ils se cherchaient un Dieu. Rossetti fut ce Dieu. Etrange Dieu païen, mais qui avait l'autorité, la séduction, le désir assez vaste, assez vague, pour cristalliser les enthousiasmes juvéniles.

Dès la première soirée passée avec eux au Collège des travailleurs, Rossetti avait senti tout le parti qu'il pouvait tirer de cette admiration. Une confrérie nouvelle s'ébauchait, dont il serait le maître incontesté. Physiquement, déjà, Dante Gabriel dominait ses disciples : le très frêle Burne-Jones au teint cireux, au front immense dégarni, à la maigre barbe ruisselante, le volubile Morris, petit et corpulent, une tête massive aux cheveux hirsutes engoncée dans des épaules à la puissance presque bovine, semblaient l'un et l'autre soumis à l'avance à l'aristocratique nonchalance de Rossetti, dont l'embonpoint naissant renforçait la majesté condescendante. Quand l'architecte Woodward avait sollicité Rossetti pour la décoration de la salle des débats, Dante Gabriel avait saisi aussitôt l'occasion de fondre dans une tâche partagée les rêves esquissés, les idées ébauchées. Ils vivraient là ensemble, dans une communion de création qui rappellerait les grands projets gothiques du Moyen Age. Abandonnant pour un temps leur compagne, leur maîtresse ou leur femme, ils se rassembleraient dans une fraternité virile, et loin de cette lancinante individualité par couple que l'ordre bourgeois imposait insidieusement, ils feraient cause commune — l'art deviendrait la vie.

En médiéviste érudit, Morris avait conseillé Rossetti pour le drapé des vêtements, des robes, la texture et les couleurs des brocarts, l'agencement des armures. Car c'était bien au Moyen Age qu'ils allaient se replonger. La Christ Church Meadow d'Oxford se faisait Brocéliande — au bout de leur projet se dressait la silhouette invisible et rayonnante d'un nouveau Graal.

Les premiers résultats avaient été enthousiasmants. Venu de Londres, Coventry Patmore avait pu écrire : « Les couleurs, douces et claires comme un nuage dans l'aurore, sont si brillantes qu'elles font ressembler les murs aux marges d'un missel illuminé. » Disciple méticuleux de Dante Gabriel, Edward Burne-Jones avait vite atteint une technique plus efficace encore que celle de son maître pour peindre de languissantes théories de jeunes filles aux longues robes grises, aux longs

cheveux dorés, penchées sur des fontaines, agenouillées devant un ciel bleu pâle, des ifs et des
cyprès venus d'une mystérieuse Italie de l'âme.

Dans un tourbillon presque estudiantin, fait
d'empressement matériel, d'élan mystique et de
camaraderie savamment hiérarchisée, le démon
Rossetti retrouvait ses ailes d'ange. Le soir, à la
veillée, on l'écoutait comme un prophète, tandis
qu'il exaltait le passé, l'avenir, balayant d'un
mépris écœuré le stupide présent, avec ses
hommes-esclaves, sa misère, et sa consternante
industrie.

Dante Gabriel jubilait. L'aventure d'Oxford
n'était plus du préraphaélisme. Il arrachait enfin
cette étiquette restrictive, dont l'abusive précision
ne recoupait plus ses rêves, ni ses amitiés. D'ailleurs, il ne s'agissait plus seulement de peinture.
Oxford n'était qu'une première marche. Un for-
midable courant allait naître, s'étendre sur l'Angleterre, et au-delà. Déjà, Morris, dans les pubs
de Cornmarket Street ou de Saint Aldate's,
parlait de papiers peints, de meubles, de robes et
d'étoffes. Tous l'approuvaient bruyamment,
quand la chaleur du gin faisait monter les enthousiasmes nocturnes. Il y aurait des tableaux, bien
sûr, mais il y aurait aussi des fresques, des
romans, de longs poèmes de chevalerie mystique,
et des maisons entières, des châteaux, des palais.
Il y aurait toute une nouvelle vie de l'âme puisant
aux sources du Moyen Age sa soif de secret, de

lumière, pour rayonner sur le monde, et pour anéantir le mythe stupide du progrès.

Gabriel triomphait. Plus personne ne songeait à John Ruskin, sévère contempteur de cette agitation, qu'il jugeait niaise et passéiste. Pour la première fois, Dante Gabriel menait à sa guise le voyage de l'art nouveau.

Tout le jour, les compagnons d'Oxford vivaient avec le roi Arthur, Lancelot du lac, saint Georges, l'enchanteur Merlin, la princesse Sabra. Il y avait quelque chose d'exaltant à déployer tant d'énergie pour la décoration d'un lieu unique, avec la patience infinie que les moines mettaient autrefois à enluminer un seul manuscrit. Le peintre est maître de son tableau. Mais là, l'Œuvre les dominait. Un délicieux sentiment d'humilité faisait frissonner leur immense orgueil. Le soir, étourdis de fatigue et de bonheur, Burne-Jones et Morris écoutaient Rossetti répéter à l'envi que leur rêve secret déployait ses ailes, aux confins du réel. Puis, saoulés d'espoirs et de projets, ils partaient sagement se coucher dans l'auberge de Rambroke Street. Aveuglés par la foi, l'enthousiasme, la reconnaissance, ils n'imaginaient guère la soirée qui débutait alors pour leur messie.

Depuis longtemps déjà, Rossetti ne dormait plus qu'à peine. Terrorisé par des troubles de vision de plus en plus fréquents, il avait la phobie de perdre définitivement la vue au cours du sommeil. Il se droguait de plus en plus pour effacer ces angoisses, mêlant le laudanum à l'alcool afin de rester éveillé. Alors commençaient, sur l'autre pente de son âme, des nuits qui s'enfonçaient dans une hébétude sans fin, caressant les ombres du mal. Ce que le corps de Fanny Cornforth ne savait plus lui donner dans les bouges de Londres, ou l'atelier de Chatham Place — car dans sa perversion même, Fanny gardait une espèce de franchise tendre qui échappait au désir de finir, de se noircir, de s'avilir — l'esprit de Swinburne le lui offrait, dans les nuits d'Oxford.

Charles Algernon Swinburne. Etrange personnage, au physique disgracié, que le destin avait placé sur la route de Dante Gabriel. Une taille de nain, ou presque, une barbichette en pointe ridicule, des chapeaux immenses : telle était l'apparence de ce grand poète, dont l'œuvre révélait un lyrisme élégiaque, et dont le comportement social avait de quoi surprendre. Fasciné par l'étrange, l'équivoque, le bizarre, Swinburne avait jeté son dévolu sur le couple formé par Elizabeth et Dante Gabriel. Doué d'une acuité psychologique prodigieuse, il avait su sentir la vibration intérieure de chacune de ces âmes. Il était devenu en peu de temps l'ami, le confident d'Elizabeth, et le compagnon de débauche de Dante Gabriel. A l'une, il récitait ses poèmes, exaltait la tristesse, et la consolation de l'infini. Avec l'autre, il buvait, se droguait quelquefois, lisait à haute voix l'œuvre de Sade.

A la fois fasciné et exaspéré par ce bouffon de comédie qui s'attachait à ses pas, Rossetti marchait dans les rues désertes d'Oxford, en cette fin d'octobre. A l'insu de Dante Gabriel, Swinburne nouait des intrigues, des rendez-vous. On passait par hasard devant la maison d'une de ces jeunes femmes qui n'avaient d'yeux que pour le nouveau roi d'Oxford. On en disait beaucoup de mal, puis Swinburne lançait :

— Elle t'attend !

Il y avait alors des murs escaladés à la courte échelle, des aboiements de chiens, des jurons étouffés, des voix blanchies qui hélaient Dante dans la nuit. Il y avait ensuite des étreintes plutôt sommaires et brutales, ou simplement de longs fous rires solitaires de Rossetti — la dame offerte, le corps tremblant d'attente, commençait un peu tard à s'inquiéter de cette lueur folle et sournoise qui dansait dans les yeux de Dante Gabriel, tandis qu'il s'approchait. Il y avait des départs furtifs, parfois de véritables fuites, avec des objets renversés, des aboiements recommencés, puis les rires croisés de Swinburne et Rossetti quand ce dernier retrouvait dans la rue son maître de débauche.

Car le petit bonhomme menait à sa guise ce manège nocturne. Pendant que Rossetti se livrait à une complexe et fatigante gesticulation amoureuse, Charles Algernon Swinburne déambulait, sourire aux lèvres, happant quelques échos,

quelques images des scènes provoquées, et médi
tant déjà la suite de la pièce. Les rendez-vous se
succédaient, se chevauchaient ; ils n'existaien
parfois que dans l'esprit de Swinburne, e
c'étaient les plus drôles, et jamais Rossetti n'en
savait rien. Le jour, Swinburne guettait les
regards enfiévrés que les femmes lançaient à
Dante Gabriel. La nuit, il prenait un plaisir pervers à voir tomber, et souvent jusqu'au ridicule,
ces beautés méprisantes qui le toisaient ou l'igno-
raient. Il avait lu Choderlos de Laclos. Il lisait
Sade, avec ivresse, s'était promis d'en faire couler
le venin excitant et triste dans les veines de Dante
Gabriel. Et Rossetti, roi solitaire et proie facile
du bouffon, lisait Sade à son tour, glissait avec
délices vers ces enfers nouveaux que ne sanctifiait
plus la voix du Dante.

Au cœur de la débauche, de la drogue, de l'alcool, au fin fond de la nuit, Swinburne, avec une
indifférence affectée, se mettait à parler d'Elizabeth Siddal. Il avait reçu une lettre. Elle était à
Sheffield, chez des cousins, suivait les cours de
l'Ecole des beaux-arts, et ne se portait pas si mal.
Ainsi, vraiment, Dante Gabriel n'en savait rien ?

Rossetti pâlissait, maugréait, injuriait Charles
Algernon — et le poète souriait avec volupté, sous
une averse de vocables raffinés. Quand l'errance
et la fatigue les ramenaient enfin vers l'auberge de
Beaumont Street, le petit jour exsangue se levait
sur un automne froid.

224

Il n'y a pas de hasard. Cette dérive lente de la nuit, venant après la création du jour, dura des semaines et des mois, jusqu'à ce que le temps perde un peu le fil de ses heures... Et puis il y eut cet autre jour, au théâtre d'Oxford. Lassé par l'impudence de Swinburne, Rossetti s'était fâché avec lui l'après-midi. Dans la salle des débats, Charles Algernon s'était permis de parler avec ironie des statues de Munro représentant les chevaliers de la Table ronde. Epuisé de corps et d'esprit, Dante Gabriel avait préféré la compagnie de Burne-Jones pour aller au théâtre, pour s'étourdir, se rafraîchir d'images qui ne fussent plus les siennes. Mais une image l'attendait, qui devait devenir sienne pour toujours.

En pénétrant dans le théâtre, ébloui par les ors, les lustres, le velours cramoisi, l'effervescence estudiantine qui flottait autour d'eux, Rossetti frissonna. Un voile familier faisait vaciller son regard. Burne-Jones le guida dans la salle, tandis qu'une rumeur naissait sous leurs pas, des réflexions flatteuses, quelques bravos, quelques impertinences. Dante Gabriel naviguait dans un rêve, une nuit de velours bleu, avec des taches de lumière clignotant dans un espace cotonneux. Les yeux clos, il approuvait distraitement sans les entendre les commentaires de Burne-Jones sur l'originalité attendue de la mise en scène. Mais il était bien loin du *Marchand de Venise*.

Dans la salle-navire, le silence tomba peu à

peu, dans le déclin de la lumière. Alors seulement Rossetti sentit se dissiper le vertige de son malaise. Inquiet d'avoir pu sembler ridicule, il scruta le public autour de lui, dans l'ombre commençante. A sa droite, Burne-Jones était déjà tendu vers le spectacle, les yeux brillant d'excitation intellectuelle. Mais à sa gauche, la réalité lui réservait la surprise d'une image plus mythique et plus belle que toutes les pièces de Shakespeare, tous les vers de Dante, tous les tableaux de Rossetti.

Elle était là, évidente et lointaine, le regard infiniment grave fixé sur la scène. L'obscurité naissante dessinait la perfection presque inhumaine de son profil de statue grecque. Une lourde chevelure sombre descendait en vagues doucement ourlées sur ses tempes, donnant plus de mystère encore à la pâleur marmoréenne de son teint. Elle semblait glaciale, hiératique, avec un port de tête méprisant. Les dernières chandelles s'éteignirent, et Dante Gabriel détourna à regret son regard vers les acteurs. Il n'entendait rien de la pièce, mais laissait se répandre en lui cette impalpable irradiation que sa voisine donnait à l'espace alentour ; une exaspération nerveuse, née du soyeux de sa robe, de son parfum, mais plus secrètement de sa présence même, d'un magnétisme étrange, dont Rossetti se sentait déjà prisonnier.

A l'entracte, il acquiesça mollement aux exclamations enthousiastes de Burne-Jones, emballé par l'audace de la mise en scène. Dans le fumoir, sous les lustres à pendeloques, en pleine lumière, il put enfin *la* regarder, d'un peu loin, sans cette gêne qui le saisissait à son approche. Elle était grande, drapée dans une robe au drapé bouillonnant d'un gris-bleu indécis, dont le décolleté discret mettait en valeur un cou immense et mince, plus long encore que celui d'Elizabeth. Pourquoi l'image de Lizzie venait-elle aussitôt, quand on regardait l'inconnue ? L'étrangère elle aussi mêlait le Nord et l'Italie. Sa chevelure, que Dante Gabriel avait crue brune dans l'obscurité de la salle, était en fait d'une rousseur profonde, d'un éclat sombre et chaud de palissandre. Des yeux immenses, d'un gris-vert changeant, un front, un nez d'une finesse presque irréelle ; l'ovale du menton juste un peu lourd ; une bouche étonnamment sensuelle, dans ce visage de vitrail.

— Les sœurs Burden, fit Burne-Jones, agacé de voir que Rossetti ne faisait même plus semblant de l'écouter. Ce sont les filles d'un négociant d'Oxford. L'aînée s'appelle Jane.

Avec un petit sourire, il ajouta :

— Morris en est déjà très amoureux.

— A peine moins de Nord, un peu plus d'Italie, dit Rossetti pour lui-même.

Puis, comme émergeant d'un sommeil éveillé, il s'enquit fiévreusement :

— Tu dis que notre ami Morris aurait des vues sur elle ?

— Comment la beauté de Jane Burden pourrait-elle laisser un peintre insensible ? Elle a déjà posé pour un portrait de William.

— Et vous ne m'en avez rien dit ! reprit Dante Gabriel avec amertume. Peut-être pourrez-vous au moins me présenter cette jeune femme à la fin de la pièce ?

La sonnerie marquant la fin de l'entracte retentissait. Ils reprirent leur place, échangèrent des saluts. Au prix d'un terrible effort, Rossetti parvint à ne pas même tourner les yeux vers sa voisine.

On eût en vain interrogé Dante Gabriel sur la fin du *Marchand de Venise*. Dans un théâtre imaginaire qui se substituait à la pièce de Shakespeare, il faisait se croiser deux visages, deux silhouettes : Elizabeth Siddal, Jane Burden. Blond vénitien, roux sombre des chevelures déployées, gris-vert, or gris, lueurs changeantes des regards graves, minceur des corps diaphanes qui s'offraient très loin, au bord d'une fontaine, au bout d'une allée sombre de forêt, dans un cercle étroit de lumière. Tension de sentir près de soi l'apparence du nouveau rêve. Car déjà Jane Burden avait sa haute place dans l'imaginaire et dans la vie de Dante Gabriel. La même certitude que lors de sa rencontre avec Lizzie le poignardait. Jane au côté d'Elizabeth. Avec un peu plus de volupté secrète dans le froid de son regard. Avec une sensualité plus jeune et vigoureuse, mais qui savait mourir aussi à la frontière difficile d'un paysage d'âme.

Lizzie s'avançait sur la scène en un muet reproche, pathétique dans son silence et sa pâleur. Elle s'arrêtait, se laissait admirer et plaindre. Elle se détournait, regardait Jane passer lentement, et Jane ne la voyait pas. Puis, d'autres femmes les chassaient ; à leur tête marchait Fanny Cornforth. Le corps généreux et facile sous des voiles transparents, elles riaient fort et semblaient se moquer autant de Rossetti lui-même que de l'inaccessible beauté de Jane et de Lizzie. Des applaudissements de cauchemar venaient souligner leur triomphe, mais c'étaient les acteurs d'Oxford qui saluaient, tandis que les lustres se rallumaient.

Dans le brouhaha des fins de soirées réussies, Rossetti maladroit, intimidé, grimaçant de migraine, fut présenté à Jane Burden. Mais elle, sans effort et sans gêne, accepta de poser pour lui, et ne témoigna pas du moindre trouble.

Dans l'auberge de Beaumont Street, Rossetti ne dormit pas, cette nuit-là. A la lueur d'une chandelle, sur des feuilles aussitôt froissées, la main frémissante, il apprivoisait à l'avance le mystère de cette étrange beauté qui venait à lui. Il saurait en faire l'image parfaite qui manquait encore au projet d'Oxford. La reine Guenièvre était venue, et la rencontre ne devait rien au hasard. Elle était loin comme le Graal, elle n'était pas vraiment sur terre. Mais, quelque part, elle habitait un espace d'éternité, et Dante Gabriel portait en lui le pouvoir de révéler au monde cette spiritualité languide, cette tonalité automnale et secrète qui émanait de Jane, du moindre de ses gestes, de la seule ombre de sa chevelure sur la pâleur extrême de son cou.

Incapable de se maîtriser davantage, Rossetti partit par les ruelles d'Oxford aux premières lueurs de l'aube. Un fin brouillard nimbait les toits, mouillait les feuilles rougeoyantes des vignes vierges ourlant les murs. Un impalpable parfum d'arrière-saison flottait dans la fraîcheur de cette matinée. Déjà la fin d'octobre. Il allait falloir redoubler d'efforts pour terminer les fresques avant les premiers froids. Mais c'en était fini du temps perdu, des débauches incertaines et tristes. Avec l'image de Jane était revenue une haute exigence. Pourtant, c'était aussi comme un remords. Les passades amoureuses provoquées par Swinburne ne comptaient pas. Avec Jane remontait aussi le souvenir de Lizzie, abandonnée dans l'aventure, et pour la première fois détrônée dans le royaume de l'art même.

Toute la ville dormait encore, et Rossetti se réjouissait de pénétrer dans une salle des débats solitaire, où il pourrait rêver en paix à la silhouette projetée de la reine Guenièvre. En entrant dans le hall, Dante Gabriel sentit naître à ses lèvres un sourire de pur bonheur. Ce n'était plus le chantier enfiévré de Morris et Burne-Jones, de cette collectivité qu'il avait lui-même exaltée. Non, c'était bien son œuvre, déployée sur les murs, les plafonds. Sur un fond pâle et bleu digne de Fra Angelico, dans une aura dorée d'enluminure médiévale, apparaissaient le roi Arthur et tous ses chevaliers, les châtelaines vierges agenouillées près des fontaines — c'était bien l'âme de Dante Gabriel Rossetti, éternisée dans ce temple de l'esprit. Lui seul savait ce qui manquait encore à cette œuvre immense, qui ravalait au rang d'esquisses adolescentes toutes les toiles des préraphaélites. Dans le parfait silence, il allait tracer de sa propre main la silhouette souveraine de Guenièvre.

En caressant le mur pour en apprivoiser la pierre, dans un geste d'incantation mystique, Dante Gabriel se sentit tout à coup saisi d'un froid mortel. Un peu du fond bleu pâle s'écaillait sous ses doigts. Affolé, il porta la main plus haut, frottant avec plus d'insistance, palpant la paroi avec une inquiétude d'aveugle. Le doute n'était plus permis. Ils n'avaient pas assez travaillé le support ; ou bien, c'était la peinture elle-même qui était en cause ; ou encore l'humidité de cette fin d'automne... Mais peu importait la raison. Il n'y a pas de hasard. La phrase triomphale de la veille résonna aux tempes de Rossetti avec une ironie cruelle. Un long cri de bête blessée résonna sous les voûtes austères. Dante Gabriel lacérait à

pleines griffes l'ensorcelante beauté de l'enchanteur Merlin.

Quand William Morris pénétra à son tour dans
la salle des débats, il y trouva Rossetti prostré, la
tête basse, devant le mur balafré. Et Burne-Jones,
et Madox Brown, et Stanhope, et tous les autres
arrivaient tour à tour, et n'avaient pas besoin de
mots. Frappés d'un coup par le destin, ils s'ac-
croupissaient sur les dalles, au hasard de la salle,
ensemble séparés dans une étrange prière accablée de malheur.

A peine un léger murmure s'éleva-t-il, quand
Dante Gabriel se releva enfin, traversant le hall
avec la dignité d'un chevalier blessé.

Le lendemain, il était à Sheffield, et demandait
Elizabeth Siddal en mariage.

JUILLET 1858
NORFOLK STREET

Le soir est doux, le jardin silencieux. On a fait
semblant d'oublier que l'heure de coucher les
enfants est dépassée depuis longtemps. C'est un
petit jardin de ville, mais les buissons de thuyas,
de troènes, les framboisiers, les groseilliers
tachetés de rouge sombre ou velouté en font une
oasis de fraîcheur ronde, une île sage au cœur de
Londres.

Penchés sur la table de pierre, les deux enfants
se risquent à poser des couleurs sur leur dessin.
On n'entend que ce clapotis pacifiant du pinceau
qui tourne dans l'eau claire, avant de revenir
apprivoiser les palets d'aquarelle. Emily et Rose
ont retenu les mots de monsieur Ruskin :
« L'aquarelle, c'est un peu de peinture et beaucoup d'eau. » Elles ont mouillé la feuille patiemment, déposé sur le papier ce voile d'eau-lumière
où les couleurs vont se diluer, bouger imperceptiblement sur la blancheur magique de cette neige
étendue sous la pluie.

Dans le verre d'Emily des volutes presque mauves s'alanguissent. Les mêmes nuages, mais d'un vermillon aigrelet, dansent dans celui de Rose. Emily peint des framboises, Rose des groseilles — elles ont bien choisi. Du haut de ses douze ans, Emily est si grave, avec ses gestes mesurés. Son regard pénétrant, un peu inquiet, révèle à la moindre maladresse une sensibilité tout intérieure, soigneusement cachée. Son visage aux traits fins est constellé de taches de rousseur. C'est bien une petite fille de l'Irlande : elle en a le vert tendre au fond de son regard, le charme un peu mélancolique. Sa petite sœur Rose ne manifeste pas cette distance d'île, cette élégance lointaine. C'est vrai qu'elle a dix ans tout juste : on peut lui pardonner ses gestes fous, ses exclamations de dépit ou d'enthousiasme. Elle a posé près d'elle le chapeau de paille qui la protégeait l'après-midi, et dont le ruban noir serpente entre les palets d'aquarelle, les pinceaux, les groseilles-modèle, à côté de la feuille. Elle est plus blonde que sa sœur, plus vive et spontanée. Son teint plus coloré, sa joue un peu plus ronde lui donnent un naturel de chaton maladroit, délicieux et pataud. Pourtant, quand elle revient à son dessin, elle sait aussi devenir grave, et son front pur se fronce d'un majestueux souci.

John Ruskin est fasciné. Assis sur un fauteuil d'osier tressé, il s'est éloigné quelque peu, et ne donne plus de conseil à ces élèves si dociles. Il apprécie la distinction, le talent d'Emily. Mais il ne voit que Rose. Le soleil déclinant diffuse une lumière ambrée sur la scène d'été. A contre-jour, la silhouette de la petite fille semble à la fois l'incarnation de la vivacité et d'une insaisissable perfection. Elle est la joie. Ruskin se sent bien loin de ces crises de mysticisme qui le faisaient basculer au bord de la folie, après le départ d'Euphemia. Ce qu'il cherchait, au fond, c'était moins Dieu que l'innocence ; et l'innocence est là, avec ces gestes gourds, ces fous rires, et cette gravité soudaine.

L'innocence ? Non, pourtant, ce n'est pas tout à fait cela. L'innocence parfaite, conquise pour toujours, ne serait qu'un sommeil ennuyeux et stupide. Ruskin frissonne dans le soir naissant. Il sait ce qu'il aime dans Rose, et qui devient jour après jour sa religion nouvelle : c'est la presque innocence. La pureté, la joie presque parfaites, mais voilées d'un infime trouble, d'une transparente défaite, aussi légère que cet écran d'eau claire étendu sur la feuille blanche. Rose est l'enfance ronde, et tout ce que Ruskin eût voulu garder de lui-même : un monde où les contours, les frontières n'existent pas, un monde où l'on s'oublie, où l'on se fond dans le décor sans exister soi-même. Rose est la branche qu'elle dessine, l'acidité rouge et sucrée de la groseille, la permission tacite de rester un peu plus tard dans le jardin, puisque monsieur Ruskin est là, puisque maman a dit que les visites de monsieur Ruskin étaient un grand événement, son amitié pour Rose une chance pour tous. Mais Rose, si fraîche, enjouée, si sérieuse, est aussi la promesse de sa propre fin. Elle est au grand pays, mais elle ne le sait pas. Elle ne sait pas non plus que le soleil descend déjà, invente imperceptiblement des zones d'ombres, des secrets, d'inconscientes gênes qui vont s'étendre au-delà du couchant.

Plongé dans ses pensées, Ruskin n'a pas senti Emily s'approcher. Elle veut lui montrer son dessin, mais, saisie par la fixité étrange du regard de monsieur Ruskin, elle reste en silence à ses côtés. Elle sent bien qu'il ne faut pas, son cœur bat la chamade, mais elle ose enfin demander :

— Pourquoi est-ce que tu regardes toujours Rose comme ça ?

John Ruskin tressaille, comme frappé par un châtiment attendu. Un instant interloqué, il reprend contenance, retrouve même un peu de sa sévérité, cependant que Rose a relevé la tête, et le toise d'un air énigmatique.

— La jalousie est le défaut qui rend le plus malheureux sur terre, Emily. D'ailleurs, je ne regarde pas Rose. Tu es une trop petite fille pour comprendre ce que je regarde.

Mais madame La Touche les rejoint au jardin. jeune encore, et jolie, avec sa silhouette élancée, sa robe blanche au col montant de dentelle empesée, le teint clair, les cheveux blond vénitien parfaitement rangés dans un chignon sophistiqué, elle fait partie de ces admiratrices de Ruskin qu'une audace très civilisée a menées jusqu'au maître. Elles sont ainsi trois ou quatre, grandes bourgeoises admiratives de la plume ou du pinceau. Elles parlent d'art à longueur de journée, commettent quelques pages, quelques esquisses ou paysages. Maria La Touche est la plus enfiévrée de ces femmes mariées aux meilleurs partis britanniques, qui rêvent en tout bien et tout honneur de devenir des égéries. Elle a terminé deux romans sentimentaux et religieux, et n'a pas tout à fait renoncé à les publier. Par des prodiges de diplomatie mondaine, elle a pu rencontrer le grand, le terrible John Ruskin. L'immédiate sympathie de ce dernier pour les enfants fut une aubaine. Elle a osé proposer des cours de dessin, à l'heure où ses amies prennent le thé à Norfolk Street. Mais Ruskin a prétexté du Collège des travailleurs, et vient dans la soirée, assiste au coucher des enfants, leur raconte une histoire. Maria La Touche est aux anges — jamais elle n'eût rêvé d'une semblable intimité.

Sans percevoir la gêne qui vient de planer sur le jardin, elle s'approche en papillonnant, avec cette exubérance réservée aux soirées ruskiniennes. Elle s'extasie sur les progrès de Rose et d'Emily, les frôle d'un baiser, revient au maître. Ruskin tolère assez complaisamment cette agréable effervescence. Madame La Touche est l'archétype de

237

la femme qu'il ne redoute pas : aristocratique, jolie, mariée, fidèle, grande admiratrice intellectuelle de son œuvre, avec cette petite nuance de vague à l'âme sentimental, ce parfum de nostalgie tardive qu'il faut savoir laisser s'épancher du haut d'une affectueuse réticence.

— Vous leur faites réaliser des merveilles, monsieur Ruskin ! Ces fruits d'aquarelle ont une fraîcheur...

— Emily et Rose sont très douées, coupe Ruskin. Très attentives aussi. Elles sauront peindre un jour, si elles le désirent. Mais le plus dur reste à faire.

— Je voulais vous redire aussi toute ma gratitude pour le délicieux portrait de Rose...

— Cachez-le bien, surtout ! quel affront si les peintres que je critique découvraient mes balbutiements picturaux !

La conversation de John Ruskin avec Maria La Touche s'épuise ainsi très vite. L'enjouement maniéré de madame La Touche se heurte à une bougonnerie que Ruskin a bien du mal à tempérer. Il veut rester seul avec les enfants. Cela se voit, cela se sent, et, pour garder les bonnes grâces du grand homme, son hôtesse bat en retraite prestement.

— Eh bien ! Je crois que Rose et Emily ne sauraient aller se coucher sans leur histoire, monsieur Ruskin. Etant donné la douceur de la soirée vous pourrez peut-être l'entendre au jardin ? Pour ma part, je m'esquive.

Ruskin approuve, et le sourire lui revient. C'est l'heure qu'il préfère : un rite à mi-chemin du rêve et du réel, entre la veille et le sommeil. Les petites filles s'approchent. Emily s'assoit en tailleur, Rose s'allonge à même la pelouse. Elles sont à lui, prêtes à le suivre. Il connaît le chemin. Tout le jour, il a préparé cette histoire étrange où la poupée de Rose, où l'ourson d'Emily vivent une autre vie, dans le creux du grand chêne, et par les galeries souterraines qui mènent à l'étang bleu. Elles ne posent pas de questions, mais se blottissent un peu contre la nuit, se lovent imperceptiblement dans un nouvel espace. Rose se tient la joue. Emily tortille une petite mèche de cheveux. La voix de monsieur Ruskin suit un sillon familier. Il sait prendre une voix comique pour mimer la colère du hibou. L'histoire coule d'elle-même...

John Ruskin se sent comme en retrait de cet autre lui-même, qui récite par cœur. D'autres pensées lui viennent, qu'il voudrait chasser. Il songe aux tableaux érotiques de Turner, qu'il vient de faire brûler en grand secret, sept ans après la mort du peintre, parce qu'il faut que tout soit pur, que la mémoire soit sans tache, que tout soit beau comme le transparent voyage des enfants au pays que les grands racontent, quand ils ne savent plus le retrouver.

Voilà. L'aventure est finie. Rose le regarde,

d'un long regard qui crucifie Ruskin. Elle est si proche ; il pourrait l'effleurer. Pourtant, elle semble à des années-lumière. Peut-on être amoureux d'une petite fille ? Où donc commence la folie ? Où finit l'innocence ? Une lune cruelle et blanche est montée dans le ciel. Un long silence. Dans la nuit du jardin, les framboisiers sont presque bleus.

Dante Gabriel Rossetti
à Elizabeth Siddal

Douce Sid blessée, lointaine,
J'ai bien reçu ta lettre d'Hastings, et le poème.
Pourquoi être revenue là-bas, dans le froid de l'hiver,
comme si la solitude seule avait pouvoir de consoler un
peu tes peines ? J'imagine les rues désertes, les salles de
jeux abandonnées, l'estacade saisie dans le givre, et
toi, marchant sous un soleil très haut, très pur, dans ce
cristal de glace où l'Angleterre est arrêtée. Cette image
chemine en moi. J'aimerais la peindre, et te montrer
quelle lumière habille chacun de tes pas, quand tu te
crois déjà dans la nuit.
Le poème est très beau. Je n'ai pu retenir mes larmes
en lisant :

Lorsque le soleil sera couché
Et que l'herbe ondulera devant l'église
    assombrie
Emportez-moi alors dans l'obscur crépuscule
Pour me coucher parmi les tombes.

Mais le soleil n'est pas couché, Lizzie, et tout le monde à Londres se sent veuf quand tu pars en nous privant de ta lumière. Swinburne est si chagrin qu'il se soûle deux fois plus qu'à l'ordinaire. Il a cousu sur son manteau l'adresse de Chatham Place, pour être ramené ici en cas de crise trop aiguë — *ce sont ses propres mots. Ruskin est là chaque jour, me sermonnant, me répétant que je n'aurais jamais dû avoir d'autres modèles que toi, que mon talent n'existe qu'à travers ta beauté, que je devrais venir te chercher à Hastings, et terminer la* Beata Beatrix *ébauchée l'année dernière. Je crois qu'il est toujours amoureux de toi, malgré cette passion qu'il a désormais pour une petite fille — on jase beaucoup dans Londres à ce sujet.*

Swinburne, Ruskin : tout le monde t'aime, et t'attend. Millais lui-même est venu, au risque de rencontrer Ruskin, lorsqu'il a su ton exil — par Madox Brown, sans doute. Nous nous sommes d'abord affrontés, comme je lui rappelais l'origine de ta maladie, cette baignoire criminelle où tu as voulu devenir Ophélie. Pour lui, bien sûr, je suis le seul responsable de ton état, de ta fuite, de ton désespoir. Mais nous avons pleuré ensemble, en souvenir de tout le passé, et de notre affection pour toi. Nous nous sommes quittés presque frères.

Pauvre Millais. Nous avons parlé de peinture, aussi, et ses propos m'ont paru aussi fades que ses dernières productions. Son plus grand rêve est un tableau représentant un jeune enfant faisant des bulles de savon. Il y revient sans cesse entre deux toiles, sans approcher la perfection dont il rêve. Les mots transparence, légèreté, *reviennent dans chacune de ses phrases, comme s'il avait déjà conscience de cet appauvrissement de son inspiration, et voulait lui donner des noms plus honorables. Ses ineffables* Bulles *seront tout à fait mièvres, je le sens. Il a déjà deux enfants. L'Académie le couronne. Il parle de bonheur, aussi. Comment souhaiter le bonheur, quand on voit ce qu'il fait de Millais ?*

Lizzie, notre route est bien différente. Nous avons choisi d'autres voies, d'autres saisons de vie, où la beauté a gardé son mystère. L'hiver ne nous est rien qu'une abstraction tout juste supportable. Nous détestons ce qui commence, la vulgarité des bourgeons gluants, les cris suraigus des enfants inutiles. L'été nous plaît, parfois, mais il y a trop de plaisir méridien absurdement offert, sans l'ombre d'un secret. Quand de l'ambre et de l'or viennent cristalliser dans les sous-bois le début de ce qui finit, notre religion commence. Le végétal devient l'église solitaire ou nous prions le vent de souffler vers un ailleurs, enfin, une autre rive, un rêve différent. L'automne est la seule saison. Qu'il nous revienne, et se prolonge.

Pour moi, depuis ton départ, j'ai perdu le goût de peindre, en dépit de toutes ces commandes qui s'accumulent à l'horizon. Je ne sais plus qu'écrire, et t'évoquer dans mes poèmes. Ecoute : tu es toujours ma damoiselle élue, souviens-toi de ces premiers mots — tant d'autres attendent ton retour :

La damoiselle élue s'appuyait, penchée
A la barrière d'or du ciel ;
Ses yeux étaient plus profonds que la profondeur
Des eaux calmes le soir ;
Elle avait trois lys dans la main
Et sept étoiles étaient dans ses cheveux.

Lizzie, ne cherche plus dans les nuits d'insomnie cet enfant qui a failli venir, et que le destin t'a repris. Il ne devait pas être. N'écoute pas tous ces jaloux, tous ces médiocres qui ont parlé d'avortement. Que pourraient-ils comprendre à notre histoire ? Notre mariage n'était qu'un symbole. Nos âmes seules sont destinées à se connaître. Nos corps n'auraient jamais dû se croiser. Nous n'aurons pas d'enfants comme Euphemia et John Millais ; tant mieux, si cela doit nous préserver du bonheur, et de la bêtise. Nos enfants de mots, d'images et de mélancolie, parleront longtemps sur la terre.

Je suis tout près de toi, Lizzie, je t'aime sur l'estacade d'Hastings désertée. Dans l'éblouissement du gel, je souffle sur ta peine. Que la glace nous prenne, et suspende le temps.

Reviens-moi
Dante *blessé, lointain*

Dans Leicester Square, le café-restaurant La Sablonnière était devenu en quelques mois un de ces endroits chics, au charme un peu bohème, que les artistes adorent fréquenter. Autant qu'à l'exotisme de sa cuisine continentale, il devait cet avantage à la chaleur intime d'une salle aux poutres lourdes et basses, aux murs constellés de bouquets d'herbes sèches, à toute une atmosphère nonchalamment rustique, où la paille et le bois donnaient le ton. Autour d'une vaste cheminée pétillante curieusement sise au centre de la pièce, les tables rondes venaient se réchauffer. On parlait fort, on riait haut, dans les vapeurs du vin de France. Dehors, l'hiver londonien n'en finissait pas de pourrir en neige sale, d'une gluante humidité. Les trajets nocturnes étaient pénibles, mais on trouvait sa récompense en ouvrant la porte d'un établissement comme celui-là, en recevant une bouffée d'odeurs alléchantes et de rumeur endiablée.

En habitué, Charles Algernon Swinburne, un verre de château-lafite à la main, un peu écroulé sur sa chaise, contemplait cette bruyante humanité avec un sourire d'une indulgence un rien béate. On le saluait, on désignait d'un mouvement de tête cet original presque célèbre d'où le scandale pouvait surgir à tout moment — ne l'avait-on pas vu, un soir, grimper sur sa chaise, haranguer la salle entière, se lancer dans une pantomime irrésistible ? Ernest Bouchard, le patron français de La Sablonnière, regardait ces manifestations avec clémence derrière ses moustaches, sachant que son établissement gagnait une part de sa réputation tapageuse dans des exploits de ce genre.

Mais, en ce 10 février 1862, Swinburne avait le vin tranquille. Son faux col boutonné, sa cravate correctement ajustée témoignaient d'un effort — il attendait quelqu'un. Les clients le virent se lever soudain, se frayer un chemin d'un pas incertain entre les serveurs et les tables, puis saluer avec effusion deux nouveaux arrivants. L'homme, élégant et sûr de lui, se laissait admirer, reconnaître. La femme, très belle, mais d'une pâleur cadavérique, semblait se recroqueviller sur elle-même pour mieux se soustraire aux regards. Oui, c'étaient bien eux, le fameux Dante Gabriel Rossetti, et son épouse, Elizabeth Siddal. Un silence attentif s'établit quelques secondes, suivi d'un murmure de conversations furtives. On disait qu'elle était enceinte pour la seconde fois. Pourtant... On prétendait qu'elle ne sortait plus jamais, et voilà que...

Mais, tandis qu'ils gagnaient leurs places, les ragots s'amenuisèrent. L'Elizabeth qui traversait la salle n'était plus que son fantôme. Où était la créature spectaculaire dont les journaux satiriques répandaient la caricature ? Difficile de la suivre des yeux sans éprouver des sentiments mêlés de compassion, d'admiration. Elle était encore belle, à sa façon, d'une beauté tragique et déjà presque absente. Le visage incliné en arrière, auréolé par la flamme mourante de ses cheveux épars, elle s'avançait avec un masque de souffrance. Sur son passage, on se détournait, par gêne, ou par pudeur. Un douloureux voyage intérieur la menait à son terme, au-delà du réel.

Comment Rossetti pouvait-il la contraindre à sortir encore, dans un état de faiblesse si manifeste, par un hiver aussi sournois ? Le contraste avec Dante Gabriel avait d'ailleurs quelque chose de choquant. Rossetti passa commande allégrement :

— Des coqs au vin pour tout le monde ! Et quelques bouteilles, les mêmes qu'a choisies mon ami Swinburne : c'est un connaisseur !

Pour Dante Gabriel, Charles Algernon avait secoué son hébétude, et repris son répertoire d'histrion. Tous deux se mirent à manger et à boire avec une enthousiaste inconscience, alors qu'Elizabeth, incapable de toucher au plat généreux et barbare qu'on avait glissé devant elle, regardait obstinément le feu, moins écœurée qu'indifférente. Dante Gabriel riait très fort aux plaisanteries les plus éculées de Swinburne. Une tension exaspérante montait peu à peu, et suspendait les conversations alentour. D'un côté, Lizzie, morbide, pétrifiée, et par instants presque vacillante. De l'autre, les deux complices de débauche gesticulant avec une indécence grandissante.

C'est alors que Swinburne choisit de se lancer dans son numéro préféré, celui qui plongeait toujours Rossetti dans une crise prolongée d'hilarité : l'imitation de John Ruskin. Ce dernier détestait Swinburne, qui l'avait supplanté en tant que confident d'Elizabeth. Dante Gabriel, quant à lui, prenait un vif plaisir à voir ridiculiser Ruskin, dont le joug lui pesait. Certes, Ruskin lui fournissait toutes ses commandes, mais il en profitait pour exercer une pesante tyrannie intellectuelle, critiquant sans ménagement les toiles, et, plus encore, les poèmes de Rossetti, qu'il estimait médiocres.

La parodie cent fois peaufinée par Swinburne était assez irrésistible. Roulant soudain les yeux avec une sévérité démoniaque, pinçant les lèvres, il exhortait un docker imaginaire à suivre les cours de peinture du Collège des travailleurs. Puis il semblait doubler de volume, prenait une voix épaisse et pâteuse pour mimer la réponse du docker, dont les préoccupations s'avéraient quelque peu éloignées de l'art nouveau. La scène connaissait d'ordinaire un bon succès parmi les spectateurs occasionnels, d'abord vaguement offusqués de voir ainsi flétrir l'une des gloires de l'Angleterre, puis gagnés peu à peu par le fou rire. Mais, ce soir-là, une étrange atmosphère planait dans le restaurant tout à coup amenuisé, réduit à ce cercle bizarre de trois personnages étonnamment disparates que chacun regardait.

Exalté par le vin de Bordeaux, Swinburne campait un Ruskin de plus en plus caricatural, s'épuisant en dialogues inutiles avec des ouvriers qui ne comprenaient pas un mot à ses discours, et muselant de son mieux une petite fille cachée dans son dos qui intervenait d'une petite voix flûtée pour poser des questions d'une niaiserie clairement obscène. Rossetti, passablement grisé à son tour, s'esclaffait à en perdre le souffle. Son rire résonnait faux, à travers cette pièce où tout le monde à présent fixait Elizabeth dans un silence consterné, pressentant un éclat irrémédiable. Une sourde violence latente avait tissé sa trame dans l'air lourd. Chaque éclat de rire de Dante Gabriel était une gifle infligée à la faiblesse impavide de Lizzie.

— Comment pouvez-vous être tombé si bas ! siffla Elizabeth entre ses dents serrées.

Aux tables voisines, on avait distinctement perçu ces mots, mais Rossetti et Swinburne, au comble de l'exaltation, n'avaient rien entendu.

— Je vous parle ! hurla Lizzie en arrachant la nappe d'un mouvement brutal et maladroit.

Les bouteilles de château-lafite se brisèrent au sol dans un fracas cristallin, mêlé à l'explosion plus mate des assiettes entrechoquées. Debout, les deux poings posés sur la table, chancelante, mais soutenue par l'élan de sa furie, Elizabeth s'épanchait enfin. Chacun des mots qu'elle destinait à Dante Gabriel semblait prendre à témoin la salle entière.

— Comment pouvez-vous vous repaître aussi grossièrement de ces vulgarités cent fois ressassées ? Vous, que j'ai vu hier encore rampant aux pieds de Ruskin, lui réclamant deux cents guinées. Vous qui perdez toute pudeur devant lui, acceptant les sarcasmes, le laissant piétiner votre orgueil insensé.

Ebaubis, sentant soudain le poids hostile de tous ces convives autour d'eux, Swinburne et Rossetti ne soufflaient mot. Dominatrice, Lizzie assenait désormais ses phrases d'un ton plus calme :

— Mais vous avez raison de vous prosterner, de vous humilier devant Ruskin. Sans lui, vous ne seriez rien aujourd'hui. Sans John Ruskin, il n'y aurait pas Turner. Sans John Ruskin, il n'y a plus de Millais. Si vous le bafouez, il n'y aura plus de Rossetti ! J'aurai vécu pour rien, pour consumer en vain mon existence, pour brûler chacun de mes jours, dont vous disperserez la cendre. Je vous hais, vous et votre bouffon servile, qui a volé mon amitié pour mieux s'insinuer près de vous ! Soyez maudits !

Mais Rossetti l'avait saisie fermement par le bras. Faisant face au cercle des curieux qui le considéraient avec une réprobation muette et frileuse, il retrouva le velouté de sa voix séductrice pour jouer les conciliateurs.

— Veuillez pardonner à mon épouse. Elle est un peu fatiguée. Dans son état... monsieur Bouchard, soyez sans crainte. Tous ces petits dégâts vous seront payés.

Et déjà le maître des lieux levait les bras pour témoigner de sa confiance, et déjà les dîneurs se retournaient. Un instant près de basculer au côté de Lizzie, l'assistance retrouvait la lâcheté confortable commune aux rassemblements humains pour juger qu'après tout, il n'y avait pas à s'immiscer dans la fantasque vie des artistes à scandale.

Dante Gabriel empoigna Lizzie, et l'entraîna hors de la salle. A cet instant, Lizzie sentit toute la vanité de sa révolte. Elle avait tout perdu avec ce mariage insensé, elle avait tout gâché en livrant son corps préservé. Une solitude mortelle l'envahit. On faisait semblant de la plaindre, comme on faisait semblant de l'admirer. Ce n'était jamais elle qu'on aimait, mais une vague idée, dans le reflet de son image. Et c'était elle qu'on abandonnait. Elle retrouva la rue presque déserte, la neige fondante et sale éclairée par les fenêtres de La Sablonnière. Sans réaction, elle se laissa hisser à bord d'une voiture. Dante Gabriel congédia Swinburne d'un revers de la main. Penaud, le poète-nabot partit d'un pas hésitant vers d'autres bouges, au fond de sa propre détresse. Par le carreau du cab, Lizzie lui jeta un regard de pitié. Elle s'en voulait de l'avoir injustement malmené. En dépit de tous ses vices, Charles Algernon éprouvait pour elle un amour-affection qu'elle savait tout à fait sincère.

L'idée d'un tête-à-tête avec Rossetti lui donnait la nausée. Quand donc la laisserait-il en paix ? Dante Gabriel avait joué de sa vie comme de la corde d'un violon. Elle se sentait tendue, usée, sur le point de se rompre. Elle étouffait au plus vif de son âme, et la présence de Rossetti dans l'espace confiné de la voiture lui devenait physiquement intolérable. La fièvre montait en elle, tandis qu'en secouant la tête elle l'adjurait de la laisser seule.

Comme le trajet lui parut long, de Leicester Square à Chatham Place ! Inconscient de la tragédie qui se nouait, Dante Gabriel n'en finissait pas de lui reprocher son esclandre, son injustice pour Swinburne et pour lui-même. Tout au long de ce sermon dérisoire et fastidieux, Elizabeth détourna son visage, les yeux baissés, et ne dit plus un mot. Quand la distance l'éloignait, quand la mélancolie venait avec la solitude, Rossetti savait trouver les mots qui le rapprochaient de Lizzie. Mais là, il n'était plus qu'un monstre d'égoïsme, obnubilé par sa vision des choses, incapable d'écouter l'autre, incapable de voir celle qu'il aurait pu peindre de mémoire, et qu'il possédait tout entière, au-delà de la vie.

Le cab s'arrêta juste après Blackfriars Bridge. A Chatham Place, Lizzie monta les premières marches de l'escalier, puis, soudain, se retourna. Au prix d'une énergie surhumaine, elle rassembla ses dernières forces pour faire barrage à Dante Gabriel, lui criant au visage :

— Surtout, pas de pitié ! Au nom de notre amour enfui, pas de pitié ! Tu meurs d'envie d'aller rejoindre ta putain, ta Fanny. Ne la fais pas attendre. Tu prenais un plaisir pervers à lui faire l'amour dans l'atelier, pendant que je tremblais de fièvre dans la chambre. Eh bien, ce sera mieux encore ce soir, crois-moi !

Un instant interdit, Dante Gabriel s'approcha, tenta de saisir Lizzie par l'épaule. Mais avec une vigueur désespérée, elle le repoussa brutalement, et il glissa sur une marche, s'accrocha en vain à la rampe, roula au bas de l'escalier. En se relevant lourdement, il lui lança :

— Eh bien, garde ta folie ! Mais ne me juge pas, Lizzie ! Tu ne me connais pas. Personne ne connaît Dante Gabriel Rossetti ! hurla-t-il en s'éloignant dans la nuit froide.

Seule ! murmura Elizabeth à bout de souffle,

253

dans un apaisement de tout son corps. S'arrêtant à chaque marche, elle parvint à l'appartement.

La lune jette dans l'atelier une clarté bleu pâle, exsangue. C'est la lumière qui lui convient, ce soir. Elle sourit tristement en contemplant cette pièce tranquille où son image est née, où sa vie lentement s'est étiolée, où Dante a bafoué son amour. Tout ce passé qui pourrait ne sembler qu'un rêve, s'il n'y avait tous les tableaux épars, et la blessure longue dans son corps.

Elle s'assoit sur le sol devant ce dernier portrait d'elle que Dante a commencé comme un remords. *Beata Beatrix*. Dans la lumière un peu laiteuse de la lune diluée par un léger brouillard, l'esquisse est un miroir. Un visage penché en arrière, les yeux fermés sur une peine, ou un bonheur : la béatitude que Dante prête à Béatrice pourrait aussi s'intituler la douleur éternelle. Cette paix intérieure, cet ineffable oubli de toute pesanteur terrestre n'a rien d'un bonheur à cueillir ici. Béatrice est ailleurs, et Lizzie la regarde, et Lizzie se sent bien de n'être plus d'ici. Dans le parfait silence, elle songe à ces images qui lui survivront : Ophélie folle, noyée, dérivant au fil du courant. Béatrice esquissée, l'âme tournée vers un monde lointain... La vie lui a menti, l'art lui ressemble. Elle est l'ébauche damnée d'une sainte, une lueur trop pâle qui s'éteint loin des regards. Elle est la folie même, flottant sur le hasard des jours, offerte au rêve, au sortilège. Elle n'aura jamais trente ans. Un faible sourire lui vient à cette idée bizarre. Le temps lui pèse infiniment. Elle est lourde de tant de siècles, et de tant de désirs qui ne sont pas les siens. Depuis le Moyen Age, elle s'abandonne au fil de l'eau.

Un coup brutal, soudain. Sa poitrine la brûle. Elle se lève, suffocante, scrutant l'obscurité pour y trouver le réconfort artificiel qui la soutient depuis trois ans. La bouteille de laudanum est là, posée sur l'appui de la fenêtre. Au-delà, la Tamise est comme un voile sourd dans le gris-bleu de la nuit, une écharpe d'indifférence pour étouffer les cris, le désespoir. Jusqu'au bout de ses gestes, elle ne choisit pas. Ses mains tremblent malgré elle, et elle s'avance comme un automate. Dans la précieuse fiole dorment toutes les neiges douces qui apaisent les fièvres de l'âme et du corps. Fascinée, elle fixe le liquide clair, comme s'il avait ce soir plus de mystère encore, de pouvoir. Elle connaît ce rite des vingt gouttes à mesurer pour dissiper la souffrance, approcher ce délire apprivoisé qui lui fait tant de bien. Mais aujourd'hui, elle ne veut plus compter. L'heure est venue de jouer plus loin. La paix semble si proche. Elle ouvre le flacon.

Personne ne saura jamais où est Rossetti cette nuit-là. Mais le sait-il lui-même ? Pour lui, les bras des femmes et les fumées du port sont une même errance : il est où il n'est pas. Au bout, il y a cette heure pâle où le réel retrouve le tranchant de ses contours, dans la froideur de l'aube. Quand il revient à Chatham Place, Elizabeth est morte, allongée sur le sol, entre un flacon de laudanum et le portrait de Béatrice.

25 FÉVRIER 1862

Fanny Cornforth
à Dante Gabriel Rossetti

Mon Dante calomnié,

Ainsi, je suis la seule à connaître la vérité. Tu n'étais pas entre mes bras, cette nuit-là. Mais que vaut la parole d'une Fanny Cornforth, dans notre société bien-pensante ?

Lorsque le juge nous a réunis pour ce simulacre d'enquête, j'ai senti tout de suite son hostilité à mon égard, et celle de Madox Brown, du docteur Hutchinson, de Burne-Jones. Quelle hypocrisie ! Elizabeth est morte. « Ma vie est si misérable que je n'en attends plus rien. » Le billet que Madox Brown a trouvé sur elle est on ne peut plus clair. Elle a choisi de mettre fin à ses jours. Ta présence n'y eût rien changé. La mort cheminait en elle depuis trop longtemps. Peut-être était-elle trop pure, trop fragile ? Mais il était si absurde de te soupçonner.

Personne n'a songé à inquiéter le très officiel John

257

Everett Millais, qui est pourtant à l'origine de son mal. La vie est ainsi. Toi, tu es un mauvais, fils de carbonaro, presque un demi-métèque. Tu fréquentes des femmes troubles, et tu connais tous les bouges du port. Tu n'étais pas avec moi cette nuit-là, et peu importe. Mais t'imaginer dans mes bras pendant qu'Elizabeth se mourait à Chatham Place leur fait plaisir. Laisse-les te salir, à défaut de t'égaler.

Je connais ta tristesse, mon Dante. On m'a dit ce geste superbe que tu as eu de glisser le livre vert avec tous tes poèmes aux côtés de Lizzie, dans son cercueil. Tu as renoncé à la poésie pour étouffer tous tes remords. Mais tu n'as pas besoin de rédemption. Tu as aimé Elizabeth. Sans toi, il n'y avait qu'une modiste aux yeux baissés. Tu en as fait une reine de beauté. Et puis, souffrir par toi est un si haut bonheur.

Lorsque les jours auront passé sur ta peine, si tu le veux, je reviendrai à tes côtés. Je n'ai jamais voulu t'importuner, mais tu le sais. Je ne demande rien à la vie que d'épouser ton ombre. Même si tu n'étais plus rien, je te serais fidèle.

Fanny

Au 16 Cheyne Walk, la plaque de bronze *Tudor House* se découpait sur la grille vert sombre. Charles Dodgson, que très peu de gens encore connaissaient sous son pseudonyme de Lewis Carroll, marqua un temps d'arrêt. L'air était si doux dans Chelsea, en cette fin de matinée. Un vent léger jouait dans les branches des arbres, et ce quartier où les artistes à la mode venaient s'installer, si près de Londres, si loin de ses fumées, semblait une île claire, à l'abri de la fureur du monde.

Tudor House. Ainsi, c'était bien là cette demeure mythique où Thomas More avait rédigé son *Utopie*, et son ami Erasme *L'Eloge de la folie*. Le rapport entre ces deux titres fit sourire Charles Dodgson. Le nouveau locataire serait bien dans la couleur : folie et utopie. Il fallait un peu de l'une et de l'autre pour s'installer dans un domaine aussi prestigieux, aussi vaste. Comment Dante Gabriel Rossetti payait-il son loyer, lui qui courait sans cesse après d'innombrables commandes, que son humeur fantasque l'empêchait de satisfaire ? Tudor House était célèbre dans tout Londres. Après la décapitation de Thomas More, la veuve d'Henri VIII, Catherine Parr, y avait vécu avec son époux, Lord Seymour. Plus tard, la reine Elisabeth Iʳᵉ y avait séjourné... Dans ce lieu chargé d'histoire, l'installation d'un personnage aussi bohème que Rossetti avait pris des allures de scandale.

En dépit de son air sage, le professeur de mathématiques Charles Dodgson n'avait rien contre un certain goût de scandale. Il admirait depuis longtemps la pureté sensuelle des œuvres de Dante Gabriel. Rossetti, pour sa part, avait de la sympathie pour ce diacre un peu équivoque, dont le plus grand plaisir était de raconter des histoires aux petites filles et surtout, jusqu'à la passion, de prendre des photographies. Pour cette visite exceptionnelle, Charles Dodgson n'avait pas oublié son volumineux appareil, soigneusement rangé dans une mallette de cuir brun. De l'autre main, il tenait l'encombrant pied métallique. Les clichés qu'il allait pouvoir prendre justifiaient bien quelque embarras. Rossetti ne lui avait-il pas promis la présence de John Ruskin ? Il y aurait également les hôtes habituels de Cheyne Walk, Fanny Cornforth et Charles Swinburne, qui vivaient avec le Maître dans une promiscuité très peu élisabéthaine. Enfin, avec un peu de chance, il pourrait saisir dans son objectif quelques-uns de ces animaux exotiques dont Rossetti avait, paraît-il, peuplé le parc.

Charles Dodgson fit résonner en vain la cloche au timbre fêlé. Le portail n'était pas fermé à clé. Il pénétra dans le jardin. Une sensation étrange le gagna d'emblée. Cela dépassait le sentiment esthétique pour toucher à l'envoûtement, à une fascination liée à l'atmosphère de ce lieu qui vous prenait soudain, vous emmenait ailleurs, dans un espace différent.

L'ancienne demeure s'ouvrait par la double volée d'un large escalier de pierre. Très haute et vaste, elle était recouverte d'un lourd manteau de vigne vierge qui en accroissait le mystère. Tout près des murs, des chênes, des cyprès gigantesques se dressaient, et, dans leur ombre épaisse, Tudor House, avec ses bow-windows, ses fenêtres à cerneaux, ses mansardes, semblait porter tous les secrets d'une vie foisonnante, à la fois austère et un peu folle.

Dodgson s'était arrêté, émerveillé. Après avoir scruté la silhouette de la célèbre bâtisse, son regard à présent s'étendait au domaine entier. C'est de ce parc superbe que naissait un climat ensorcelant. Partout des arbres immenses, des érables en tous genres, des bouleaux, mais aussi de nombreux conifères, dont les chevelures presque bleues se mariaient à tous les verts, tendres ou profonds, dans un camaïeu délicat de tapisserie médiévale. Au-delà de la maison, dans une ample douceur, des pelouses semées çà et là de buissons aux feuilles vernissées descendaient jusqu'au bord de la Tamise. La Tamise de Tudor House n'avait plus rien du fleuve nauséabond qui embrumait la capitale. Ici, dans ce cadre passéiste et champêtre, elle retrouvait une fluidité sereine. Des voiliers passaient. Sur l'autre rive, des bois et des herbages montaient jusqu'à l'horizon. On était surpris, en se détournant sur la gauche, de voir Londres si proche. La ville tout entière semblait pacifiée par le décor.

Dans un lieu si majestueux, la sensation la plus bizarre était liée à la présence de tous les animaux. Effaré, Dodgson découvrit d'abord des gazelles accroupies près de la Tamise, puis des kangourous bondissant au fond du parc. Il avait repris sa marche vers Tudor House, et, sous ses pas, bien d'autres bêtes révélaient leur présence. Des hérissons dans les massifs de roses rouges ; des écureuils et des marmottes au pied des arbres ; une salamandre dont le jaune et le noir brillants se détachaient comme les tons d'une fleur tropicale sur le gravier chaud. Des colonies de musaraignes et de mulots traversaient l'allée sans crainte ni hâte excessives.

— Alors, mon cher Dodgson, surpris ?

Rossetti, ravi d'avoir saisi son invité penché sur le sol dans une curieuse attitude, empêtré par tout son équipement photographique, avait ce ton jovial des jours d'amitié mondaine. Mais, en se relevant, Charles Dodgson eut du mal à le reconnaître. Il n'avait pas revu Dante Gabriel depuis la mort d'Elizabeth. Malgré son sourire avenant, l'homme qui lui faisait face n'avait plus rien du séducteur ondoyant d'autrefois. Le regard, surtout, trahissait le drame traversé par Rossetti. Le chagrin y semblait inscrit à jamais, en dépit de cette apparence luxueuse et insolente que Dante Gabriel affichait. La maladie héréditaire dont il souffrait accentuait ces stigmates, en jetant devant ses yeux un léger voile trouble. Il semblait vous regarder depuis un pays éloigné dans l'espace et le temps, comme si le présent n'eût été qu'une connivence dérisoire, dont il s'accommodait avec un peu d'ironie. Mais Dodgson savait aussi que la drogue et l'alcool étaient pour beaucoup dans cette hébétude profonde, que Dante Gabriel ne parvenait plus à dissimuler sous l'enjouement.

Rossetti fit pénétrer son invité dans Tudor House. L'impression ressentie était plus saisissante encore que dans le parc. Les lambris, les cheminées immenses, les meubles sombres, la lumière jaune ambré, vert bouteille, filtrée par les vitraux, tout concourait à donner une tonalité singulière. Très attentif à cette petite note différente qui habite les demeures, révélant dès l'entrée, au-delà des formes et de l'ameublement, les habitudes de vie, les ondes secrètes des occupants,

Charles Dodgson se sentit à la fois mal à l'aise et intrigué. Un paon hiératique et incongru traversait la salle à manger. Le vert-bleu de ses plumes s'accordait à la perfection à l'extraordinaire manteau de cheminée ciselé.

— C'est une création de William Morris, précisa Dante, en réponse au regard admiratif de Dodgson. Vous savez peut-être que nous avons fondé sous le nom de Morris and Cie une communauté de créateurs. Nous voulons nous opposer à cet absurde dépouillement des meubles fonctionnels que le siècle nous impose. Morris a imaginé pour moi, dans le style néo-gothique que nous voulons retrouver, cet ouvrage inutile et fascinant.

Tout au bout de la longue pièce, ce déferlement de bois sculpté avec une flamboyante minutie, multipliant l'ampleur et la solennité de la cheminée, donnait à Tudor House l'aspect d'un palais archiépiscopal. Seuls, deux petits panneaux incrustés où Dante avait peint des scènes d'une sensualité mystique éclairaient cette masse sombre et dentelée.

On ne s'attendait guère à voir, près de cette œuvre extraordinaire de raffinement, de spiritualité, une silhouette affalée sur un sofa, dans une attitude voluptueuse, presque provocante. Rossetti présenta Fanny Cornforth à son hôte d'une manière beaucoup plus expéditive que celle qu'il avait adoptée pour faire les honneurs du manteau de la cheminée. Dodgson salua Fanny avec une affectation de respect un peu accentuée. La maîtresse de Dante était très belle, incontestablement, dans sa robe d'été jaune d'or au décolleté généreux. Une douce chaleur irradiait de son corps ; ses gestes avaient une souplesse animale, son regard ne manquait pas de franchise. Mais le très honorable diacre Charles Dodgson était peu sensible à ce type de beauté, trop spectaculaire à son goût. Amusé, il songea au curieux couple qu'il allait former avec Ruskin, face à Rossetti et Fanny. Il est vrai que le sulfureux Swinburne serait aussi de la partie. La curiosité de voir se rassembler des personnages si contrastés le séduisait autant que la perspective de fixer tout ce petit monde sur ses plaques photographiques.

Dante Gabriel emmena Dodgson jusqu'à son atelier. Une immense pièce, la seule vraiment lumineuse de Tudor House, grâce à trois immenses fenêtres ouvertes sur le parc. Comme à Chatham Place, Rossetti n'avait pas voulu un espace voué uniquement à la peinture. Des canapés couverts de chintz, des tentures de velours framboise, des porcelaines orientales, des meubles Renaissance rythmaient l'espace et en faisaient un lieu vivant. Les dernières toiles de Dante étaient là, dans son désordre coutumier.

Dodgson s'approcha. Ces derniers portraits lui parurent sublimes. D'une facture peut-être un peu plus lourde que les toiles anciennes, ils avaient un mystère, une présence tout à fait nouvelles. Plus que jamais, ils mariaient le divin au charnel dans un climat de malaise raffiné. La même jeune femme avait servi de modèle à ces tableaux. Ici vêtue d'une robe d'un bleu soyeux, faisant face au spectateur d'un air impénétrable, là enroulée dans le drapé flottant d'une chasuble blanc cassé, elle était inquiétante à force de beauté. Dans sa chevelure, on retrouvait l'attrait de Rossetti pour les tons automnaux, mais, moins diaphane que celle d'Elizabeth, moins végétale que celle de Fanny Cornforth, sa rousseur bouclée, longue, d'une insondable profondeur, paraissait plus immatérielle encore, avec un mélange étonnant de force et d'abandon. La bouche, large et sensuelle, le menton un peu lourd la rapprochaient de Fanny ; mais la pureté fragile de son cou dépassait en finesse le port de tête de Lizzie.

— Quelle est cette femme extraordinaire ? ne put s'empêcher de demander Dodgson.

— Jane Burden, originaire d'Oxford. Mais, depuis peu de temps, elle est l'épouse de mon ami William Morris.

— Veuillez pardonner mon audace, mais... le nouveau mari n'est-il pas jaloux ? s'enquit Dodgson en balayant d'un geste la profusion des toiles représentant Jane Morris.

Rossetti sourit, énigmatique.

— Pas comme vous l'entendez. Dans notre

266

petit groupe, Burne-Jones, Morris et moi sommes tous trois fascinés par la beauté de Jane. Une telle perfection n'est pas l'effet du hasard. Elle est venue pour incarner notre rêve, une autre ère de notre imaginaire. Au demeurant, reprit-il avec une nuance de regret, Jane est une jeune femme très réservée, cultivée, consciente de l'émoi que son apparence nous inspire, mais peu soucieuse d'en prolonger l'effet dans sa propre vie.

Un domestique s'approcha pour signaler à Rossetti l'arrivée de John Ruskin. Au hasard du parc et des couloirs de la maison, Charles Dodgson avait remarqué la présence d'un jardinier, la silhouette entraperçue d'une cuisinière, et de ce factotum. La domesticité de Tudor House avait visiblement choisi une attitude conforme à l'esprit de ses locataires : pas tout à fait insolente, elle ne brillait pas par l'obséquiosité.

Dodgson suivit Dante sur le perron pour accueillir leur ami Ruskin. A voir ce dernier s'avancer dans l'allée, entre les bonds souples des gazelles et des kangourous, on était frappé par le caractère saccadé de sa démarche, par le vieillissement de sa silhouette, d'une maigreur saisissante. Mais il s'approchait ; le regard était toujours aussi acéré, la lumière de l'intelligence y brûlait du même éclat.

Bientôt, Rossetti put réunir dans la salle à manger de Tudor House ses invités du jour. Charles Algernon Swinburne s'était manifesté le dernier, avec une discrétion inhabituelle. Dûment chapitré par Dante, qui savait son antipathie pour Ruskin, Charles Algernon s'était promis de s'en tenir à un comportement aussi convenable que sa mise vestimentaire, à peu près passable ce matin-là, malgré un faux col réfractaire. L'obscurité de la salle, augmentée par la sévérité des meubles gothiques, des tapisseries médiévales, la petite gêne de se trouver réunis en se sachant si dissemblables, firent peser un silence contraint, au début du repas. Mais Rossetti détendit l'atmosphère en évoquant l'aventure qui avait marqué pour lui la semaine précédente.

— Mes amis, sachez que ce service chinois aux délicates arabesques bleues dans lequel vous dégustez votre saumon serait une petite merveille... s'il était bien celui que j'ai cru acheter.

Chacun se récria poliment. Dante Gabriel, coupant court aux réactions, poursuivait :

— C'est hier que j'ai appris la supercherie. Le grand spécialiste en chinoiseries Charles Augustus Howell est aussi le plus merveilleux coquin de l'ère victorienne, j'ai l'honneur de vous l'apprendre. Il m'avait vendu ce service à prix d'or. Au bout de quelques jours, venant dîner ici, il m'avoua que ce n'était qu'un faux, mais qu'il possédait l'original. Fort en colère, mais tenant absolument à cette merveille, je proposai l'échange, contre une nouvelle petite fortune. Eh bien, le faux était l'authentique, l'original une simple copie ! L'escroc me l'a avoué hier soir.

— Je suppose que vous allez intenter à ce forban le procès qu'il mérite ! s'indigna Ruskin.

— Pas du tout ! s'exclama Rossetti, savourant son effet. Devant tant d'ingéniosité, j'ai décidé de faire d'Howell mon homme d'affaires.

On loua bruyamment le fair-play du maître de maison. L'anecdote, jointe à la saveur chaleureuse et sucrée du vin de Sauternes, avait délié les langues.

— Mon cher Dodgson, dit John Ruskin, j'ai à vous transmettre les amitiés de madame Liddell. Elle regrette que vous ayez espacé autant vos visites chez elle. Sa petite fille Alice m'a également parlé de vous, de vos promenades en barque avec ses sœurs Edith et Lorina, et surtout des histoires que vous leur racontiez ensuite. Alice est une enfant adorable, et je lui ai trouvé de vraies dispositions pour l'aquarelle.

Charles Dodgson avait pâli.

— Alice est grande, à présent. Plus de onze ans... Si vous l'aviez connue autrefois, vous l'eussiez trouvée plus étonnante encore de vivacité, de fraîcheur... Je... Je déplore autant qu'elle cet éloignement. Mais sa mère n'est qu'une immonde hypocrite. Elle a fait courir jusque dans mon collège les plus vils ragots, prétendant que j'avais tenté de séduire leur gouvernante. Je sais aussi qu'elle a fait brûler toutes mes lettres...

Prenant conscience de l'attention profonde avec laquelle chacun l'écoutait, Dodgson reprit peu à peu contenance.

— Mais madame Liddell aura bientôt de plus sérieuses raisons de se sentir outragée. J'ai regroupé les histoires que je racontais aux enfants dans un manuscrit qui s'intitulera *Les aventures d'Alice au pays des merveilles*. John Tenniel a accepté de l'illustrer, Macmillan de l'éditer. Je le signerai pour ma part du pseudonyme de Lewis Carroll, que j'utilise déjà pour mes petits poèmes publiés dans le Comic Times.

— Est-il bien sérieux pour un prêtre de s'intéresser autant aux petites filles ? glapit soudain Swinburne, mis en confiance par les premières vapeurs d'alcool. Fanny étouffa un gloussement, tandis que Dante Gabriel fronçait les sourcils dans leur direction.

— Votre impertinence est presque aussi célèbre que votre talent, monsieur Swinburne. C'est pourquoi je choisis de ne pas m'en offenser. Permettez-moi néanmoins de vous dire que je ne suis pas prêtre. J'ai été ordonné diacre le 22 décembre 1861, et c'est pourquoi j'arbore sans honte cet habit de clergyman. Mais mes convictions personnelles me poussent à ne pas poursuivre plus avant la carrière religieuse. Quant aux petites filles...

— Je sais très bien ce que vous voulez insinuer, Charles Algernon Swinburne ! éclata Ruskin. Ne vous méprenez pas, Dodgson. Cet écœurant personnage me vise autant que vous par ses allusions. Sachez, Swinburne, qu'un homme aussi perverti que vous ne peut comprendre l'affection qui nous lie à des êtres aussi exceptionnels que Rose La Touche ou Alice Liddell.

— Je croyais que vous détestiez les enfants ! s'étonna Fanny, peu impressionnée par la colère du grand homme.

Mais Ruskin coupa court d'un ton méprisant :

— Alice et Rose ne sont pas des enfants. Ce sont des enfances.

Charles Dodgson sembla grandement approuver la formule, cependant que Fanny et Swinburne l'accueillirent avec une grimace comique d'incrédulité. Pour sa part, Dante Gabriel n'écoutait plus. Deux chouettes traversaient la salle, dans un froissement d'ailes qui fit sursauter Dodgson, et vinrent se poser sur la chaise de Rossetti.

— J'ai l'honneur de vous présenter Jessie et Bobby ! fit ce dernier d'un ton suave. Elles viennent se rappeler à mon affection ; je crois qu'elles sont un peu jalouses du wombat.

Depuis le début du repas, personne n'avait remarqué que le charmant et minuscule marsupial avait élu place sur les genoux du maître de maison. Sans vergogne, Rossetti le posa sur la table, entre les flacons de liqueurs et les cigares.

— Si nous allions maintenant prendre les photographies ? proposa Dante Gabriel.

C'est un curieux groupe qui s'avance sous les frondaisons du parc, en ce début d'après-midi écrasé de lumière, de chaleur. L'idée de poser pour des photographies, de s'incarner dans une image, les rassemble, au-delà de leur personnage. De la voluptueuse Fanny à l'austère Ruskin, du fantasque Swinburne au sombre Rossetti, en dépit de leurs moqueries désinvoltes, ils éprouvent tous un délicieux frisson à l'idée de passer à leur tour devant l'objectif de Dodgson, devant cette curieuse chambre noire où leur vie va se refléter, pour un infime instant d'éternité. Charles Dodgson connaît cette inquiétude trouble qui saisit ses modèles. Derrière les rites un peu ridicules des préparatifs, l'installation du pied, du voile noir où le photographe s'engloutit comme un montreur de marionnettes, se cache un pouvoir fascinant. L'œil rond de l'objectif est davantage qu'un miroir. De l'autre côté, dans le noir, il y a un œil humain qui capte les regards. Sous la froideur de l'opération technique se noue un lien secret entre l'égocentrisme désarmé du modèle et le machiavélisme de l'opérateur qui voit, qui tient, qui prend la vie.

Fanny est la première à s'offrir, devant un buisson rouge et blanc de roses trémières. Se laisser regarder semble chez elle une seconde nature. Rossetti sait combien elle aime, sans l'avouer, les séances de pose, où elle se montre d'une patience infinie, pendant qu'il peaufine inlassablement le velouté de ses épaules. Mais là, devant l'appareil de Dodgson, Dante Gabriel se rend compte que ce rapport de Fanny avec sa propre image a quelque chose de fêlé, que sa beauté est à la fois somptueuse et presque pitoyable. Les lèvres entrouvertes, les hanches libres, elle semble l'idée même du désir, la soif d'en prolonger les mirages — mais dans ce face-à-face silencieux, la peur de la mort s'installe aussi dans tous ses gestes, comme si l'enivrement de la chair cachait une blessure. Peur de la mort également dans le regard hébété de Swinburne, si tragique tout à coup, lorsqu'il abandonne sa défroque d'amuseur dépravé. Démuni soudain de sa carapace d'insolence, il ne montre plus qu'un corps si dérisoire, et, dans ses yeux, ce reste d'âme qui fuit sa déchéance. Peur de la mort encore dans le regard trop bleu, trop dur de John Ruskin, qui révèle malgré lui une fragilité de porcelaine inattendue. Solitude douloureuse du génie qui ne rencontrera jamais de vraie chaleur humaine dans son désert de glace...

Au moment de poser, chacun devient si impudique, transpercé dans sa vérité. Devant les marches du perron, au bord de la Tamise, dans l'ombre d'un vieux chêne, le petit groupe se déplace, joue sa comédie lente. L'après-midi s'étire, et les paroles s'amenuisent. Chacun a bien senti l'enjeu de ce face-à-face avec soi-même. Dante Gabriel, d'abord réticent, hostile à ce mode de reproduction mécanique qui semble un défi à son art, a frissonné à son tour devant l'œil froid qui va garder son image pour la postérité. Car le doute n'est pas permis. Chacun sait que Charles Dodgson a saisi sur ses plaques tous les grands de ce monde, déployant des trésors de diplomatie pour photographier jusqu'aux membres de la cour royale.

Dodgson est ravi. Jamais il n'a éprouvé autant d'émotion, sous son voile noir de magicien. Ses modèles d'aujourd'hui ont, comme lui, la passion du reflet, l'angoisse et le désir de prolonger leur existence au-delà d'eux-mêmes. Ruskin, Fanny, Swinburne, Rossetti : ils se sont tous détournés du bonheur pour croire à cette infime chance de survie : écrire, peindre, donner à l'art son âme, ou son image. Dans le parc de Cheyne Walk, le ballet se fait plus grave à chaque mouvement, plus silencieux, mélancolique. Les ombres s'allongent, caressent Tudor House, dans la lumière un peu plus blonde.

Et puis le groupe se dissout. Rossetti, taciturne, reconduit Charles Dodgson jusqu'à la grille. Quand il revient vers la demeure, il entend quelque part les rires forcés de Swinburne, de Fanny. Il hausse les épaules. Il ne veut plus les voir ni les entendre, ces deux insupportables fidèles qui le suivront jusqu'au bout de sa folie.

C'est l'heure d'être seul, quand le soleil fléchit, quand le goût de finir va revenir vers le passé, vers la mémoire. Il monte lentement l'escalier de Tudor House, vers cette chambre, tout en haut de la maison, cette pièce à l'écart de tout dont il a fait le sanctuaire de Lizzie.

Une fenêtre étroite. La poussière danse dans la lumière oblique. Tous les tableaux d'Elizabeth sont là. Il s'attarde devant cette jeune femme agenouillée devant un chevalier ; Lizzie s'y est représentée, docile, pour toujours asservie, ses longs cheveux noyant le secret de sa détresse. Au centre de la pièce, sur un chevalet, Dante Gabriel a installé sa *Beata Beatrix*. Il revient chaque soir, sous le prétexte de la peindre. Il saisit un pinceau, retouche à peine une ombre rousse dans la chevelure d'Elizabeth. Puis il s'assoit devant la toile et reste ainsi, prostré, le regard extatique. Le temps n'existe plus. L'âme de Rossetti appareille pour un autre bord, une terre sereine, profonde comme son remords. Il est bien, là-bas, près de Lizzie. Dans la lumière étrange, derrière elle, les silhouettes de Dante Alighieri, de Béatrice : il est fidèle à tout, à la mémoire de son père prolongeant sur son destin l'empreinte de ces personnages en quête d'absolu ; fidèle à ce désir de pureté du premier rêve préraphaélite, avec cet oiseau mystique qui pose entre les mains d'Elizabeth un pavot presque blanc — le rouge d'un opium de mort est passé dans l'oiseau lui-même ;

le meilleur de lui s'est décanté dans la fleur qu'il va déposer délicatement dans les mains entrouvertes de Béatrice-Elizabeth.

Dante Gabriel est devenu cet oiseau. Les paradis artificiels l'ont gagné peu à peu, mais son œuvre restera pure, entre les mains offertes de Lizzie. Trop tard ? Il n'est jamais trop tard dans cet espace sourd, étouffé comme l'eau de Bruges. C'est peut-être la mort, mais cette mort fait tant de bien. Dans l'eau verte irréelle du tableau, il est tout près d'Elizabeth. Il la jalouse presque d'avoir trouvé la clé d'un monde différent. Sur la table, près de lui, des feuilles dispersées. Les poèmes de Lizzie. Tous ces textes qu'elle a écrits durant sa dernière année sur terre. Tous ces mots qui basculaient déjà vers l'au-delà, apprivoisaient le départ, le passage. Il saisit une feuille, et lit ces vers qui lui ont rappelé d'abord comme un reproche la douleur d'Elizabeth, sa solitude, et qui lui disent aujourd'hui sa présence prochaine :

Comment est-ce, en cette terre inconnue ?
Les morts errent-ils la main dans la main ?
Agrippe-t-on les mains exsangues, et frissonne-t-on
A jamais d'une joie infinie ?
L'air s'emplit-il du son
Des esprits qui ne cessent de tournoyer ?
Y a-t-il des lacs d'un calme éternel,
Pour reposer nos yeux fatigués ?

Oui. Sous les paupières closes de Lizzie, il y a des lacs, des allées, des forêts, l'ampleur tant désirée de ce monde parfait, où le bonheur prolonge la souffrance. Un jour, il glissera dans l'eau douce de cet espace. Le soir descend sur Tudor House, mais, sur le tableau enchanté, l'obscurité se fait lumière. Rossetti approche la main. Il pourrait presque toucher cet ailleurs qu'il a détaché de lui-même. L'autre côté... Un jour, il rejoindra Lizzie dans la couleur du rêve, dans l'or vert indécis du sommeil éveillé. Combien de nuits trop bleues, trop seules, combien de nuits d'exil, avant la paix de ce rivage ?

— Regardez, Jane. Les ombres sont un peu plus longues, et l'été va finir, enfin !

Jane Morris sourit d'un sourire complice, un peu condescendant. Elle ne répondit pas. Dans le jardin d'Upton, les roses jaunes, à contre-jour, avaient cette fragilité sereine, cette lumière chaude et délicate qui donnait envie de se taire, de regarder longtemps le déclin doux de la lumière. L'averse avait ravivé les parfums mêlés des fleurs, de l'herbe, de la terre. Jane ramassa une rose tombée. Tout au bord des pétales, le jaune pâle allait jusqu'à l'évanescence. Mais au cœur de la fleur, des gouttes de pluie fraîches brillaient encore sur des tons presque ambrés. Dans sa robe de velours bleu sombre, avec ses longs cheveux de palissandre relevés dans un chignon lourd, sa haute silhouette si mince et flexible, Jane semblait à la fois si forte et cristalline. Elle ne répondit pas, car ses pensées n'épousaient pas les mots de Rossetti. Elle marchait à ses côtés pourtant, dans un silence d'amitié proche de la tendresse. Mais cette volupté de voir mourir les couleurs, la saison, mais ce bonheur-mélancolie des choses finissantes lui restaient étrangers.

— Il est beaucoup moins tard que vous ne le pensez, murmura-t-elle enfin. Partout le succès vous appelle, et votre art semble si jeune aux yeux du monde !

— Mais mon âme a mille ans de froid, de solitude. Et vous lui refusez pourtant la seule chose au monde qui pourrait la réchauffer.

— Je ne vous refuse rien, et vous le savez trop, fit Jane en soupirant.

On eût dit un vieux couple faisant paisiblement le tour du propriétaire en bavardant. Ils parlaient sans se regarder, fixant au loin des pensées indécises. Au côté de la silhouette allongée, gracile de Jane Morris, Rossetti paraissait vieilli, épaissi, sombre. Usé précocement par la drogue et l'alcool, par le chagrin, les veilles, un travail forcené alternant avec les débauches épuisantes, il n'avait plus rien du charmeur qui faisait basculer les cœurs. Son charme était ailleurs, dans ses tableaux, que la société victorienne s'arrachait, désormais, dans le mystère de ses poèmes que l'on ne connaîtrait jamais, et qui dormaient sous terre, auprès d'Elizabeth Siddal.

Comme le jardin d'Upton était beau, en cette fin d'été ! Dans un savant désordre, les fleurs y épousaient les lignes courbes de massifs nonchalants. Mauve léger des cosmos, calices rouges des glaïeuls, camaïeux orangés des soucis, blanc nuptial des marguerites. Jane faisait elle-même les semis, émaillant sa conversation de considérations horticoles sur les vivaces et les annuelles, arrachant au passage un liseron pour délivrer l'ipomée captive. Dante Gabriel la regardait alors sans écouter le moindre mot, heureux de cette intimité facile. Comment Jane pouvait-elle bavarder à ses côtés, cueillir des fleurs dans un jardin, faire semblant de vivre sur la terre ?

Rossetti était allé partout, dans les chapelles de Toscane ou de Vénétie, dans les musées d'Anvers, de Bruges, de Paris, dans les bouges de Londres. Il avait vu tant de portraits de saintes inaccessibles, tant de filles offertes. Il avait rencontré Elizabeth Siddal, cette flamme de passion qui lui laissait un goût de cendre, et l'idée d'une perfection perdue. Et voilà qu'il y avait, plus loin encore dans sa vie, quand son cœur et son âme se sentaient déjà si fatigués, si mornes, voilà qu'il y avait, plus haute encore dans son rêve, l'apparition de Jane. Elle parlait de fleurs, et Dante Gabriel la contemplait comme une énigme. Pourquoi cette beauté ? De quel désir, de quelle soif ces ondes mystérieuses venaient-elles ? En bavardant d'un ton grave, Jane avait-elle conscience de cette ensorcelante dualité qui l'habillait ? Son regard mélancolique dormait comme une eau pure, un lac d'ailleurs, et ses lèvres un peu pâles, si sensuellement ourlées, semblaient vouloir cueillir les fruits d'ici. Mais ce port de tête impérial, sous l'opulence sombre de la chevelure, quelle part devait-il au hasard, à la conscience ? Dante Gabriel éprouvait un malaise devant cet éblouissant secret. Il avait vu des beautés volontaires se créer sous ses yeux, Lizzie transcendée par l'élan qui la poussait vers Béatrice, Fanny comme enivrée par la chaleur rayonnante de son corps. Mais Jane habitait sa propre perfection avec un détachement flegmatique qui en exaspérait encore le pouvoir.

Par l'allée bordée de poiriers en espalier, ils s'en revinrent lentement vers la maison des Morris. Les murs en partie recouverts d'une vigne vierge à peine rougie, en ce début de septembre, avaient par ailleurs de grands pans de pierre grise, un peu austères, qui en faisaient une compacte citadelle médiévale. Mais, dès qu'on pénétrait à l'intérieur de la demeure, on avait le souffle coupé par la beauté, par l'unité de ce temps du renouveau gothique. Tout avait ici la sophistication des créations conçues par la nouvelle confrérie réunie autour de William Morris. Tentures imprimées de feuillages entrelacés aux couleurs de l'automne, innombrables tapis lancéolés de fleurs délicates, papiers peints où les mêmes fleurs champêtres se répétaient à profusion, toute l'atmosphère à la fois très végétale et recherchée qui habillait les murs, les sols, et parfois les plafonds, était due aux patrons dessinés par William Morris lui-même.

Morris avait laissé son talent s'infléchir avec opportunité vers ces créations décoratives, au médiévalisme rafraîchi par une douceur bucolique. Dans la maison d'Upton, un certain passéisme semblait aller de pair avec le goût de la nature ; on se sentait bien loin de l'ère industrielle qui se déployait par ailleurs dans l'Angleterre triomphante. Ford Madox Brown, conscient de l'académisme un peu désuet de ses toiles, avait suivi la même évolution. Les vitraux peints de sa main qui constellaient la salle à manger d'Upton représentaient des scènes ambrées, dorées, issues de *La Quête du Graal*. Burne-Jones et Rossetti, pour leur part, éprouvaient un vif plaisir à participer épisodiquement à ces projets originaux, sans pour autant délaisser leur œuvre proprement picturale. Ainsi, Burne-Jones avait-il peint pour le mariage de Jane avec William une magnifique armoire évoquant une scène mystique tirée d'un conte de Chaucer. L'élévation spirituelle mariée à la chaleur du bois de chêne prenait une profondeur nouvelle en jouant sur les volumes, en s'approchant des gestes de la vie quotidienne. Quant à Dante Gabriel, on lui réservait une surprise, ce soir-là.

Dans la vaste salle à manger d'Upton, William Morris, Edward Burne-Jones, Ford Madox Brown l'accueillirent avec des mines de conspirateurs.

— J'espère que Jane vous aura détaillé tous ses exploits horticoles ! ironisa Morris, mis en effervescence par quelques verres de punch. Les ateliers de la Morris and Cie ont bien travaillé ces derniers temps, eux aussi. Edward, Ford et moi-même sommes heureux de vous présenter leur dernière réalisation.

Dans une mise en scène très théâtrale, les trois complices s'écartèrent.

— *Ma* chaise ! s'exclama Rossetti, tandis que ses amis, ravis de sa stupéfaction, s'esclaffaient.

Oui, c'était bien le siège que Dante Gabriel avait dessiné, un jour de discussion fiévreuse sur le mobilier néo-gothique. Fine et sombre, taillée dans l'aristocratie très pure de l'ébène, la nouvelle chaise se distinguait surtout par l'élégance de son dossier en forme de lyre à peine recourbée.

— Nous comptons la présenter lors de la prochaine exposition de Londres, assura Burne-Jones en lissant sa barbe ruisselante. Son visage, habituellement si triste, débordait d'enthousiasme.

— *La chaise de Rossetti* sera bientôt célèbre dans toute l'Angleterre ! renchérit William Morris.

— Une lyre pour un poète ! lança Madox Brown. Le poète le plus secret, hélas... et sans doute le meilleur, d'après ce que j'en sais.

— Comment pouvez-vous proférer de telles sottises ? coupa Dante Gabriel, rendu soudain urieux par cette allusion maladroite. Une gêne subite s'abattit sur le groupe, pourtant habitué aux sautes d'humeur de Rossetti.

— Je ne suis pas poète ! hurla Dante Gabriel. Et dites-vous bien qu'aucun vers de moi ne sera jamais publié !

La violence de sa colère montait, à l'unisson du trouble qui l'envahissait. Il semblait à la fois menaçant et apeuré, roulant des yeux de demi-fou.

L'élan de la fête retombé, on passa à table dans un silence consterné. Déçus par la goujaterie de Rossetti, qui n'avait même pas songé à les remercier, les membres de la confrérie réchauffèrent bientôt le climat de la soirée par des plaisanteries d'abord un peu forcées et puis, l'alcool aidant, plus naturelles.

Mais Dante Gabriel ne les écoutait pas. Tous les projets de la Morris and Cie lui paraissaient a présent dérisoires. Le bel idéalisme d'Oxford s'enlisait dans des stratégies mercantiles qui s'éloignaient de l'art en avançant vers le succès. Des gens très riches, souvent stupides, s'arrachaient les productions néo-gothiques. Certains d'entre eux étaient même des capitaines d'industrie, se dédouanant des miasmes du progrès en affichant une écœurante velléité de raffinement esthétique.

Dante Gabriel secoua la tête comme pour chasser ces pensées. Sur la table, les chandeliers moyenâgeux conçus par Millais diffusaient une lumière orangée très intime mais, dans la demi-obscurité, les membres de la confrérie, avec leur barbe foisonnante, leurs attitudes maniérées, campaient des personnages raidis dans leur anti-conformisme apprêté. La réflexion de Brown martelait les tempes de Rossetti. La dose trop forte de laudanum qu'il avait prise avant de venir à Upton avait cessé depuis longtemps ses effets euphorisants, pour ne lui laisser qu'une indiffé-rence boudeuse au jeu social du présent et, au fond de l'esprit, cette cynique clairvoyance qui touchait au désespoir.

Il voyait. Elizabeth allongée dans sa tombe, miraculeusement intacte, les cheveux déployés, les yeux baissés comme ceux de la *Beata Beatrix*. Près d'elle les poèmes de *La Maison de vie*, dans cet obsédant cahier vert. Des strophes entières lui revenaient, psalmodiées par la voix douce de Liz-zie, et cette voix perdue dans le funèbre abîme du silence lui déchirait l'âme.

Hagard, il releva la tête. Seule Jane avait pris garde à son désarroi. Leurs regards se croisèrent, de part et d'autre de la table, entre les deux bou-gies des chandeliers. Les rires des autres convives les éloignaient, les rassemblaient. Elle était là, si parfaitement belle ; dans la demi-pénombre, sa chevelure semblait plus sombre encore, et des paillettes d'or dansaient dans ses yeux clairs. Elle était là, dans ce mariage parfait du corps et de l'âme, dans cette volupté mystique qu'il avait cherchée toute sa vie. Elle lui avait donné son corps, déjà, pour une étreinte décevante. Elle ne se donnait pas vraiment ; on ne s'approchait pas de son mystère. Rossetti voyait si clairement soudain la règle absurde de ce jeu. Il n'avait pas aimé Lizzie, qui s'était tuée pour lui. Il n'aimait pas Fanny, qui rêvait de son ombre. Il aimait Jane, peut-être seulement parce qu'elle restait si froidement lointaine. Elle se laissait admirer, se laissait faire en apparence, et puis...

Ils se regardaient, dans la lumière un peu tremblante. De regard à regard, ils prolongeaient tous les secrets des miroirs, des fontaines. Dans l'eau de ces reflets dormait le meilleur du voyage, et le temps basculait. On se perdait soi-même, on découvrait un autre bord... Mais, au-delà, Dante savait. Il n'y avait que la nuit.

21 MAI 1865

John Ruskin
à Charles Dodgson

Cher ami,

Nous ne nous sommes plus revus depuis ce jour d'été, il y a presque deux ans. Pourquoi le besoin me vient-il de vous parler, en cette fin de journée glaciale ? Peut-être parce que vous êtes le seul être au monde à pouvoir comprendre mon désarroi, ma solitude. Je me sens si perdu, parfois, si loin de cette image de censeur impitoyable qui s'attache à ma réputation.

Lors de notre rencontre à Tudor House, vous m'aviez dit comment Alice Liddell s'était peu à peu détachée de vous, au seuil de l'adolescence. Je sais combien le temps a creusé cette distance ; et je crains que votre charmant livre ne rende la séparation irrémédiable. Je fréquente toujours les Liddell. Pour avoir pris votre défense lorsque madame Liddell vous attaquait, je connais l'injustice qui vous frappe. Alice est devenue ce qu'il est convenu d'appeler une charmante jeune fille. Ses dons pour l'aquarelle se sont affermis, sans atteindre pourtant une réelle originalité. La voici presque parfaite : c'est dire qu'elle a tout perdu de ce petit miracle qui l'habitait, du temps de vos promenades en barque, de vos goûters, de vos anniversaires. Ce n'était pas assez. Il a fallu qu'un peu de boue vienne ternir votre amitié, votre succès.

Je suis si près de vous, ce soir. Rose grandit à son tour, et elle s'éloigne, et on l'éloigne. Je la vois chaque jour se fermer, refuser de s'embarquer dans ces récits qu'elle suscitait par sa présence même, son éclat. Mais ces histoires allaient infiniment plus haut, plus loin que leur apparence naïve. Comme votre sublime contrée des merveilles, c'était le haut pays d'enfance, cette terre inconnue que les enfants découvrent lorsque quelqu'un les mène au bord de leur pouvoir. C'est un très haut glacier, une banquise d'absolu, éblouissante de lumière. Vous l'avez vue briller comme moi, plus fascinante encore lorsqu'on l'a tuée au fond de soi.

Rose avait ce pouvoir. Elle aimerait encore l'apprivoiser. Mais madame La Touche prétend que je vais rendre sa fille folle avec mes histoires insensées, que Rose s'est déjà livrée à des crises de démence. Mais Emily trouve notre intimité suspecte. Rose est devenue de jour en jour moins enjouée, puis vaguement gênée, puis réticente.

Je vois trop clair à travers tout cela. Madame La Touche ne fait que traduire la morale du siècle, en couvrant de malaise tous les instants si purs que j'ai passés auprès de Rose. C'est cela qui gêne au plus profond : l'amitié d'un homme mûr comme moi pour une enfant. L'amitié, et peut-être un peu plus, je le confesse, n'ayant jamais su le nom de ce lien différent. Puisqu'il faut prendre à rebours en la provoquant l'hypocrisie de notre époque, je dirai que je n'ai jamais eu pour elle d'attirance physique — à moins de considérer comme telle le simple fait de la trouver infiniment jolie, l'âme à fleur de visage, à fleur de chacun de ses gestes. Bien sûr, la morale du siècle prétendrait qu'il ne s'agit pas de cela, mais peut-être d'une vague perversion mentale, de quelque chose qui ne se fait pas. Or, il s'agit bien de cela, de cette sexualité qu'il faudrait voir partout, quitte à en refuser l'idée même.

Je connais votre propre calvaire, votre talent, votre franchise. Laissez-moi vous dire à quel point je trouve dérisoire, scandaleux, qu'un homme tel que vous soit sali par les ragots haineux de tous ces gens qui ne comprennent rien à la beauté, à l'enfance, ni à la pureté, mais n'ont que ces mots à la bouche, et jugent de tout sans jamais avoir aimé personne.

Les hommes changeront-ils un jour ? Je n'y crois guère. Mais je crois aussi qu'une incompréhension comme celle que nous rencontrons tous deux est bien le fait de notre époque, et qu'il faut le savoir, se reconnaître pour se soutenir. Après tout, en dépit des apparences, nous sommes peut-être vous et moi des révolutionnaires. Vous serez bien avisé de brûler ces pages après les avoir lues. Je tremble à l'idée de ce que le siècle saurait en faire si elles venaient entre ses mains. Et pardonnez enfin ce débordement soudain que justi-

291

*fie en cette soirée d'hiver mon extrême tristesse, et la
profonde communauté d'âme qui nous réunit, au-delà
de toutes les calomnies.*

Votre John Ruskin

Depuis plusieurs semaines, Dante Gabriel Rossetti ne peignait plus. Plusieurs crises de cécité l'avaient frappé en quelques jours. Le spectre de cette nuit totale, de cette mort dans la vie que son père avait connue, se profilait comme une menace, un arrêt du destin. Ces aveuglements temporaires l'avaient plongé dans une exaspération nerveuse proche de l'épilepsie. Peu à peu, un certain apaisement s'était manifesté, mais un trouble permanent subsistait dans son regard, un voile obscurcissant encore davantage la très sombre demeure de Tudor House. Incapable de peindre, Dante Gabriel écrivait çà et là quelques poèmes. Lui qui s'était juré de renoncer pour toujours à la poésie trouvait une amère volupté à sentir sous sa plume cette cadence obsessionnelle, ce déferlement d'images qui n'allaient nulle part, puisqu'il s'était promis d'en garder l'écho pour lui seul. Les visages d'Elizabeth et de Jane se mêlaient dans ses vers comme dans sa mémoire, faisant de l'amour d'aujourd'hui le prolongement morbide de l'amour disparu. Jamais il n'échapperait à ses fantômes, à ces ombres portées qui s'allongeaient sur la lumière. Clignant des yeux, il relut ces vers qu'il venait de tracer sur la page :

> « *Je sais simplement que je me penchai et bus longuement*
> *Une gorgée de l'eau où elle s'était noyée,*
> *Son souffle, et toutes ses larmes, et toute son âme ;*
> *Et comme je m'inclinais, je sais que j'ai senti le visage de l'amour*
> *S'appuyer contre mon cou, toute grâce et pitié infinies*
> *Jusqu'à ce que nos têtes se confondent dans son auréole.* »

Mêler dans le reflet de l'eau les lèvres noyées de Lizzie, les lèvres penchées de Jane. Confondre et se dissoudre ; être fidèle dans l'oubli. Les mots savaient mentir jusqu'à l'extrême vérité. Plus fluides, plus dociles que toutes les images, ils voyageaient plus loin dans l'eau des rêves.

Dante Gabriel se leva, descendit l'escalier. Personne. Tudor House semblait un bateau englouti depuis des siècles. Les domestiques s'en allaient, et tout partait à l'abandon. Des toiles d'araignée pendaient des plafonds à caissons, et voilaient les lambris. Les hamsters dévoraient les tapis, les paons venaient mourir sur les sofas. Une odeur infecte de pourriture et d'urine régnait. Indifférent à ce désastre, Dante déambulait dans ce décor, traversait les pièces avec une étrange satisfaction. Ce théâtre grandiose et macabre basculant tout entier vers la fin, vers la mort, c'était bien là un cadre digne de Dante Gabriel Rossetti, de ses remords, de sa tragédie silencieuse.

Il descendit dans le parc. Mais pouvait-on encore appeler de ce nom ces pelouses dévastées par la dernière acquisition de Rossetti — un fougueux taurillon qui avait ruiné sans vergogne les buissons, renversé les clôtures, et provoqué la colère des voisins ? L'herbe folle poussait partout où le charmant animal ne l'avait pas encore couchée. Seuls les arbres gardaient leur majesté ancienne, et semblaient vouloir couvrir d'une ombre pudique toutes les extravagances de Tudor House. Caressant d'une main son wombat, et de l'autre fouillant dans sa poche pour lui trouver de petits croûtons de pain, Dante Gabriel s'avançait dans les allées mangées de ronces. Un paon apprivoisé le suivait à quelques pas, aussi digne que son maître, aussi anachronique. Comme un monarque fou refusant sa disgrâce, Dante ne voyait rien de cette déchéance. La fin de septembre répandait au ciel des arbres cette promesse d'or liquide que son âme attendait. Bientôt, ses pieds fouleraient un sol de feuilles sèches. Peu importait si la maison, le domaine s'en allaient à vau-l'eau. Il fallait savourer comme jamais cette gloire de finir, cette valse lente de l'automne, plus belle encore dans la sauvagerie nouvelle de Cheyne Walk.

Il marcha ainsi longuement, l'esprit noyé dans la couleur, cette tonalité déjà presque ambrée qui, seule, avait pouvoir d'éloigner ses fantasmes, ses cauchemars éveillés. Quand il revint vers Tudor House, Fanny Cornforth l'attendait sur le perron. Elle avait changé, ces derniers temps. Sa sculpturale beauté avait tendance à s'épaissir, sa mise était plus négligée. Se conformant au seul rôle que Dante lui donnait désormais dans son esprit, elle s'essoufflait à déployer des prodiges de perversité pour éveiller son intérêt. Mais, certains jours, lassé de son impudeur, honteux aussi de cette servilité maniaque à laquelle elle s'abaissait pour demeurer à Cheyne Walk, Dante eût voulu la voir au diable.

— Qu'as-tu encore inventé ? bougonna-t-il en s'approchant.

Feignant d'ignorer la mauvaise humeur de Rossetti, Fanny le prit par la main, et l'entraîna vers le hall avec des précautions apparemment bien superflues.

— Ne fais pas de bruit ! Te souviens-tu de ce que tu m'avais dit, lorsque nous avons rencontré Adah Isaac Menken ?

Ce seul nom parut dérider en partie Dante Gabriel.

— Eh bien, reprit Fanny avec un sourire

triomphant, c'est fait ! Elle est dans le lit de Swinburne ! fit-elle en désignant du doigt l'étage où
Charles Algernon avait ses quartiers.

Le rire de Dante Gabriel déferla, parfaitement
incongru, résonnant dans l'espace somptueux et
ravagé de Tudor House. Rossetti et Fanny
avaient comme tout Londres fait la découverte
d'Adah Isaac Menken, montant à cheval dans
une illustration du *Mazeppa* de Byron. La belle
juive américaine avait troublé Dante Gabriel dès
son apparition et Fanny, toujours à l'affût de ces
émotions, l'avait remarqué aussitôt. Très mince
et pâle, avec ses yeux verts d'Egyptienne, ses
longs cheveux de jais, Adah Menken faisait scandale, et chavirait les cœurs. Elle ne comptait plus
les hommes célèbres qui avaient succombé à son
charme. L'écrivain français Théophile Gautier
lui avait parlé de Rossetti, lui conseillant de rencontrer cet homme différent, qui plairait à sa fan-
taisie d'aventurière.

Fanny avait eu dès lors la partie belle à jouer les
entremetteuses obligeantes. Adah Isaac Menken
avait pénétré l'univers très particulier de Tudor
House avec ce frisson de volupté qui la menait
d'emblée vers l'inconnu, l'ébauche du danger.
Pendant un mois, Fanny Cornforth, Dante
Gabriel Rossetti et la belle Adah s'étaient livrés
aux jeux d'un érotisme équivoque et raffiné.
D'abord séduit, Rossetti s'était peu à peu lassé de
ces perversions charnelles assez systématiques et

parfois laborieuses. Voyant Fanny s'épuiser à vouloir renouveler le cérémonial de leurs ébats sensuels, il avait lancé comme une boutade cette idée baroque : le comble de l'audace serait de mêler dans le même lit la sulfureuse amazone et le nabot Swinburne, dont l'expérience amoureuse demeurait purement livresque.

Et voilà que Fanny l'avait pris au mot ! Sans doute avait-elle vanté à l'Américaine la célébrité naissante de Swinburne, et plus encore son aura de dépravation sophistiquée. Rossetti ne pouvait réprimer son fou rire en imaginant la déception d'Adah Isaac Menken. Fanny entraîna Dante Gabriel dans l'escalier, afin d'aller surprendre les échos de cette joute inattendue. Au fur et à mesure qu'il gravissait les marches, Rossetti sentait sa gaieté retomber. Chaque soir, il montait cet escalier vers la mémoire de Lizzie. Comment pouvait-il se plier aujourd'hui à cette farce dérisoire ? Cependant que Fanny, ravie de sa mise en scène, l'encourageait sur le palier, Dante Gabriel lui retira sa main d'un geste brutal.

— Laisse-moi. Je n'ai plus envie de rire, et tu me fais pitié ! J'ai connu le temps où tu n'avais pas besoin de tous ces subterfuges pour me donner le plaisir de l'amour.

Rossetti avait parlé fort, et Fanny semblait pétrifiée. Un vacarme soudain ébranla la chambre voisine. Le visage hébété d'un Swinburne demi-nu se glissa dans l'entrebâillement de la porte.

— Ainsi, vous étiez tous de mèche ! J'aurais dû m'en douter ! s'écria-t-il, furieux.

Embarrassé dans le drap qui lui servait de toge, ébouriffé, minuscule et soufflant de colère, Charles Algernon était irrésistible. Malgré lui, Dante Gabriel fut repris d'un fou rire auquel se mêlèrent bientôt ceux de Fanny et d'Adah Isaac Menken. Accoudée sur le lit, très orientale dans sa nudité parée de bracelets, de colliers argentés, cette dernière ne paraissait pas excessivement outragée.

— Mon cher Dante, pourriez-vous expliquer à votre ami qu'il n'est pas nécessaire de mordre ? suggéra-t-elle d'un ton poli qui exaspéra la fureur de Swinburne et l'euphorie de Rossetti. Mais bientôt les rires s'espacèrent, faisant place à un silence indécis, chargé d'hostilité. Dante Gabriel tourna les talons, rejetant dans l'ombre ces préoccupations indignes d'un roi solitaire, et s'engagea vers le deuxième étage de Tudor House. Swinburne, vexé pour la première fois de son existence, sans doute, s'était éclipsé, lui aussi. Quant à Adah Menken, si la susceptibilité ne faisait pas partie de son vocabulaire, les jeux fétides de Cheyne Walk commençaient à lui peser. Elle se rhabilla, maussade, ne répondant que par monosyllabes aux amabilités tardives de Fanny. Retrouvant dans le mutisme une dignité évanouie depuis quelque temps, elle s'en fut d'un pas rapide. Par la fenêtre envahie de vigne vierge,

Fanny la vit s'éloigner dans l'allée gagnée de ronces, quitter Cheyne Walk pour la dernière fois. La cour du roi Dante Gabriel Rossetti ne faisait pas de reine.

Combien de temps Dante Gabriel demeura-t-il dans l'ombre de la chambre, assis comme en hypnose devant le portrait de Lizzie ? Le temps s'abolissait, dans des instants comme celui-ci. Un parfum d'éternité flottait sur Tudor House, et donnait le désir de basculer dans l'au-delà, vers cette terre énigmatique où Béatrice-Elizabeth mêlait à jamais le bonheur, la souffrance.

Dans le silence absolu, un grincement se fit soudain entendre. Rossetti se retourna, ulcéré. Pénétrer dans cette pièce quand il y rejoignait l'âme d'Elizabeth était un sacrilège. Charles Swinburne avait longtemps hésité avant d'enfreindre cette seule loi morale intangible de Cheyne Walk. Mais une force démoniaque le poussait, ce soir-là. Le Swinburne qui franchit le seuil du saint des saints de Tudor House n'avait plus rien de la marionnette pitoyable ridiculisée dans les bras d'Adah Menken. Se coulant comme un chat près de son maître, il vint s'asseoir au côté de Dante Gabriel sur le sofa. Seul, Swinburne pouvait se permettre une telle audace sans encourir la violence de Rossetti. Profitant de l'hébétude du maître, il se mit à parler de sa voix la plus charmeuse, dont les inflexions sinueuses cachaient mal toute sa hargne refoulée, toutes ces revanches qu'il avait à prendre sur l'ingrate réalité.

— Vous avez été le plus fort aujourd'hui, concéda-t-il. Quand nous errions dans les ruelles d'Oxford, je ne pensais pas que vous seriez capable un jour de renverser les rôles. Mais vous le savez bien. Tous ces petits calculs, tous ces petits plaisirs froids de la chair ne comptent pas, ne comptent plus. Vous êtes infiniment plus loin, et votre esprit solitaire cherche d'autres visages, d'autres formes du mal, pour étouffer le rêve qui vous déchire.

Rossetti respira profondément, fixant les yeux vers ce pan de ciel étroit, en haut de la fenêtre, au dessus du cyprès. Swinburne, qu'il humiliait sans cesse, avait sur lui un étrange pouvoir. Charles Algernon parlait, et c'était la conscience de Ros setti qui semblait se livrer, à la fois horrifiée et soulagée d'aborder des terres inavouables.

— Votre esprit cherche... ou fait semblant reprit Swinburne. Car, tout au fond de vous, vous savez bien le seul acte qui vous ferait passer à jamais de l'autre côté.

— Tais-toi ! cria Dante Gabriel en enfonçant ses ongles dans le bras de Swinburne.

— Non, je ne me tairai pas ! Et votre émoi prouve assez que vous savez de quoi je parle. Mais, pour profaner la tombe d'Elizabeth, pour aller y chercher ces poèmes que le monde entier devrait déjà connaître, il faut savoir choisir son camp, il faut être au-dessus de toutes ces morales dans lesquelles s'empêtrent les hommes ordinaires, il faut bafouer l'amour, et se bafouer soi-même !

Excédé, Rossetti se précipita sur le petit faune arrogant, le saisit par le col et le traîna hors de la pièce, claquant la porte avant de la fermer à clé.

— L'art est la seule religion, disait autrefois le grand Dante Gabriel Rossetti ! hurla Swinburne en redescendant l'escalier.

Mais quand sa voix eut cessé de résonner dans Tudor House, quand Dante Gabriel se retrouva devant les yeux fermés d'Elizabeth Siddal, et la muette intensité de leur reproche, il sut que le bouffon avait gagné.

Insidieuse, l'idée chemina lentement. Elle effrayait Dante, certains jours, et il mêlait le laudanum et le chloral pour l'oublier. Il errait dans Tudor House, les yeux exorbités, secouant obstinément la tête en signe de dénégation. Parfois, le mirage de cette profanation brillait comme une flamme dans son regard, et ce désir d'aller plus loin, plus haut dans le mal et dans l'ombre, caressait la folie de son orgueil. D'autres jours encore, il semblait à Dante Gabriel que Lizzie elle-même réclamait cette exhumation, au nom de son amour blessé, pour que sa vie noyée garde son rêve de reflet, sur l'eau de la mémoire.

C'était comme une fièvre, estompant les formes du réel, brouillant les pistes de la conscience, et Dante sentait se serrer le fil de son destin. Pourquoi donc son père lui avait-il légué ce nom ? Tous les cercles de l'enfer et du paradis se confondaient, tournoyaient dans l'abîme, et le vertige cognait à ses tempes. Près de lui, Howell avait pris le relais de Swinburne pour jouer le rôle de mauvais génie, lui répéter que l'opération, pour aussi effarante qu'elle parût, pouvait très bien être légalisée. Il connaissait personnellement Sir Henry Bruce, secrétaire de la Reine au ministère de l'Intérieur. Tout au plus, pour plus de tranquillité officielle, valait-il mieux obtenir l'accord de madame Rossetti mère, la concession du cimetière de Highgate lui appartenant.

Voilà pourquoi Dante Gabriel s'était rendu à Albany Street, en cet après-midi du 28 septembre 1869. Mais, là-bas, l'accueil et l'émotion de sa mère et de Christina l'avaient bouleversé. Elles n'osaient plus depuis longtemps se rendre à Cheyne Walk, tant la déchéance de Dante Gabriel leur soulevait le cœur. Et voilà que le frère, le fils prodigue venait enfin à elles. Il n'avait pas besoin de mots. Sa seule présence était une lumière. Affreusement gêné, Dante avait dû supporter ces regards prolongés dans le silence de l'appartement désert, ces regards purs si tendrement posés sur lui. Elles voulaient lire en lui comme si le livre de sa vie se fût ouvert sur un chapitre du passé, comme si la page n'était pas tournée de leur histoire ancienne. Il n'avait pas eu le cœur de les détromper. C'était promis, il reviendrait bientôt, il passerait à l'occasion, désormais, se faire aimer comme au temps clair de son enfance.

Comme il se sentit mal à l'aise avec lui-même

en retrouvant la solitude des trottoirs de Londres. Il était presque un étranger, dans la maison d'Albany Street. Les rêves maléfiques de Tudor House ne le tentaient plus guère, et moins encore l'envahissante dévotion de Fanny Cornforth. Seule Jane Morris eût pu calmer sa peine, mais Jane était si loin, quelque part en Ecosse, au côté de William.

Il partit au hasard des rues, dérivant dans la lumière encore chaude qui cernait les enseignes, les silhouettes des passants à contre-jour. Peu à peu, cette déambulation anonyme, moins théâtrale, moins macabre que ses marches dans Cheyne Walk, le rendait plus léger. Perdu dans l'agitation de la foule, on pouvait presque se fondre, s'oublier. Sans le savoir, il retrouvait dans son errance le trajet qu'avait emprunté Lizzie, le soir où Deverell était mort. Le même fil invisible l'avait mené jusque dans Regent Street, comme s'il ne pouvait plus échapper à cette ombre impalpable.

Descendant d'un cab, un homme élégant le heurta, s'excusant aussitôt avec déférence. Ils se regardèrent, interdits, l'un et l'autre sachant d'emblée qu'il n'y avait pas de hasard dans leur rencontre.

— Millais ! Depuis combien d'années?...

— Ne dites rien, Dante. Les premiers mots seraient si dérisoires.

Un peu gauches, ils se regardèrent. Comme

deux amants séparés par la vie, ils savaient lire au-delà des apparences, qui avaient donné à John Everett Millais cette prestance académique de l'homme à succès, et laissé à Rossetti le charme du génie équivoque.

— O John ! C'est vous que je devais trouver ce soir. Laissons glisser tout ce qui nous sépare.

Gênés, ils avancèrent au long de l'avenue. Les mots leur venaient lentement.

— Oui, Dante, je sais votre mélancolie, votre tourment, ce monde fascinant et trouble dont vos toiles aujourd'hui portent la marque. Moi... Ma vie semble si lisse et claire. Euphemia est devenue à mes côtés la mère très occupée de nos huit enfants, l'argent ne manque pas, ni la célébrité. Sachez pourtant que je ne m'illusionne guère. Le meilleur de moi s'est endormi il y a si longtemps, dans les feuilles d'automne. J'ai choisi le bonheur, mais le soir, trop souvent, je pense à vous, à Lizzie, à Ruskin, enlisé dans ses amours d'enfance...

— Si tout cela n'était qu'un jeu ? fit douce-ment Dante Gabriel. La vie n'est rien, les rôles sont distribués d'avance.

— Il me reste ce rêve fou d'atteindre un jour la transparence.

— Pour moi, je sais déjà. La nuit m'attend.

Les mots se font plus rares, et ils ne parlent plus que pour eux-mêmes, pénètrent dans Hyde Park.

Ils marcheront longtemps. Des lambeaux de brume courent sur l'herbe rase. Automne le talent, l'amour, la solitude, l'amitié, et l'âcre nostalgie de tous les impossibles. Automne le soir qui descend, rapproche l'ombre et la lumière. Automne le passé, cette odeur douce-amère des feuilles tombées sur le sol. Deux hommes dans Hyde Park. Les arbres ont leur couleur. Le brouillard les efface.

L'automne est descendu sur le parc de Cheyne Walk. Les arbres ne sont plus des arbres. Infinis dégradés de tous les ors, de tous les roux, de tous les flamboiements secrets gagnés par l'ombre et le poids du passé. Comme la toile peinte d'un décor de théâtre, ils se confondent avec la fin du jour Octobre, le mot est doux à boire et triste comme un vin de mort, si riche encore du parfum de la vie. Feuilles d'ambre de Cheyne Walk, rousseur de chevelure immense déployée sur le pavois du souvenir. Femme le parc, femme la terre et l'odeur douce-amère après la pluie, femme la mémoire. Dans la demi-pénombre, un paon au bleu soyeux de Moyen Age s'éloigne au long de l'allée silencieuse.

BIBLIOGRAPHIE

Dante Gabriel Rossetti, Jacques de Langlade, Mazarine, 1985.

John Ruskin, Tim Hilton, Yale University Press, 1985.

Millais, Benedict Read, The Medici Society, 1983.

Lewis Carroll, Jean Gattégno, Points-Seuil, 1974.

Poems and Translations, Dante Gabriel Rossetti, Oxford University Press, 1919.

Pre-Raphaelite Women, Jan Marsh, Weidenfeld and Nicolson, 1987.

Mariages victoriens, Phyllis Rose, Albin Michel, 1988.

Victorian and Edwardian Furniture and Interiors, Jeremy Cooper, Thames and Hudson 1987.

Les bas-fonds victoriens, Kelow Chesney, Robert Laffont, 1981.

Rossetti and his Circle (new edition), Max Beerbohm, Yale University Press, 1987.

The Pre-Raphaelites, Leslie Parris, The Tate Gallery, 1966.

The Pre-Raphaelite Tragedy, William Gaunt, Cardinal, Sphere Books, 1988

BIBLIOGRAPHY

Dave Cluroe, A. and Transport Development Corporation, 1992

Bob Kirkin, Tim Lloyd, Your Business from 1990

Various techniques, Hutchinson, 1991 Mackern, 1992

Gibson, Institutions and power, Simon 1972

Gibson, and Hutchinson, Harry Lennox, Oxford, Oxford University Press, 1979

Peter Hall, 1975, The Modest World nations, Penguin, 1973

Thomas and New, Platt Press, Alan Milton, 1987

Hutchinson, The Story, and New and Business items are used, Thames and Hutchinson, 1972

Lawrence Seeing, Seeing the Country Penguin editions, 1987

Reggie and The Power was educate, New Hutchinson, 1971 Lander, Hutchinson, 1972

J. Rod Hemming, 1968, Penguin Arts, Tate Gallery, Penguin

Peter Redman and Transport Walker Group, Penguin books Britain, 1994

DU MÊME AUTEUR

Aux Éditions Gallimard

LA PREMIÈRE GORGÉE DE BIÈRE ET AUTRES PLAISIRS MINUSCULES, prix Grandgousier 1997 (collection L'Arpenteur)

LA SIESTE ASSASSINÉE (collection L'Arpenteur)

Gallimard Jeunesse

ELLE S'APPELAIT MARINE (Folio junior, nº 901. Illustrations in-texte par Martine Delerm. Couverture illustrée par Georges Lemoine)

Aux Éditions du Mercure de France

IL AVAIT PLU TOUT LE DIMANCHE (Folio nº 3309)

Aux Éditions du Rocher

LA CINQUIÈME SAISON

UN ÉTÉ POUR MÉMOIRE

LE BONHEUR. TABLEAUX ET BAVARDAGES

LE BUVEUR DE TEMPS

LE MIROIR DE MA MÈRE (en collaboration avec Marthe Delerm)

AUTUMN, prix Alain-Fournier 1990 (Folio nº 3166)

LES AMOUREUX DE L'HÔTEL DE VILLE

MISTER MOUSE OU LA MÉTAPHYSIQUE DU TERRIER (Folio nº 3470)

L'ENVOL

SUNDBORN OU LES JOURS DE LUMIÈRE, prix des Libraires 1997 et prix national des Bibliothécaires 1997 (Folio nº 3041)

PANIER DE FRUITS
LE PORTIQUE

Composition Nord Compo.
Impression Société Nouvelle Firmin-Didot
à Mesnil-sur-l'Estrée, le 11 octobre 2001.
Dépôt légal : octobre 2001.
1ᵉʳ dépôt légal dans la collection : février 1999.
Numéro d'imprimeur : 57241.
ISBN 2-07-040392-0/Imprimé en France.

6494